Siani Flewog

Diolch o galon i'r sawl a ddaliodd fy llaw mor dyner drwy'r gwaith ysgrifennu, ac yn benodol, Mam, David Moreton, yr Athro Angharad Price ac Alun Jones, Y Lolfa

Ruth Richards

y Lolfa

Argraffiad cyntaf: 2018

Cynllun y clawr: Sion Ilar
Llun y clawr: Trwy garedigrwydd
Archifdy Prifysgol Bangor

Rhif Llyfr Rhyngwladol: 978 1 78461 629 8

Dymuna'r cyhoeddwyr gydnabod cymorth ariannol
Cyngor Llyfrau Cymru

Cyhoeddwyd ac argraffwyd yng Nghymru
ar bapur o goedwigoedd cynaliadwy gan
Y Lolfa Cyf., Talybont, Ceredigion SY24 5HE
e-bost ylolfa@ylolfa.com
gwefan www.ylolfa.com
ffôn 01970 832 304
ffacs 01970 832 782

'[Henry Cyril Paget] seems only to have existed for the purpose of giving a melancholy and unneeded illustration of the truth that a man with the finest prospects, may, by the wildest folly and extravagance as Sir Thomas Browne says, "foully miscarry in the advantage of humanity, play away an uniterable life and have lived in vain."'

The Complete Peerage

'Gwagedd o wagedd, medd y Pregethwr, gwagedd o wagedd; gwagedd yw y cwbl.'

Llyfr Ecclesiastes 1:2

1

Pythefnos ar ôl angladd ei hunig blentyn, sylwodd Annie Lewis ei bod, ryw fis ynghynt, wedi ysgrifennu 'Michel Coiffure' ar y calendr ar gyfer un o'r gloch y prynhawn hwnnw. Meddyliodd enw mor hurt oedd Michel Coiffure i le trin gwallt ym Mangor a theimlai dosturi dros y sawl a ddewisodd enw mor anobeithiol o ymhongar. Yna, fe'i meddiannwyd gan ryw ysfa ofergoelus i gadw'r apwyntiad; daeth i gredu nad cyd-ddigwyddiad oedd iddi edrych ar y calendr y foment honno. Yn afresymol ac amhriodol, teimlodd ei bod yn rheidrwydd arni newid ei gwallt.

Cyn gadael y tŷ, rhoddodd bwniad o bowdr ar ei thrwyn a rhwbiad o finlliw i'w cheg, heb edrych yn y drych na meddwl dim beth fyddai neb yn ei ddweud. Wrth gyrraedd, cydymdeimlodd Meic â hi. Roedd Annie'n un o'r ychydig gwsmeriaid a ganiatawyd i hepgor y Michel. Cofleidiodd hi'n gynnes. Ni chafodd gyfle i ysgrifennu gair o gydymdeimlad ati; tybiodd y byddai hynny'n cadw tan yr wythnos ganlynol ac na fyddai mewn cyflwr i gadw ei hapwyntiad mor fuan ar ôl y cynhebrwng.

'Annie fach, wn i ddim beth i'w ddweud... Doedd dim angen i ti ddod...'

'Does ddim rhaid i tithau ddweud gair, Meic. Byddai'n

well gen i os na faset ti, a deud y gwir. Gwna fy ngwallt i, ella teimla i'n well wedyn.'

Gafaelodd yntau yn ei braich a'i harwain i'r ciwbicl bach gloyw lle byddai Monsieur Michel yn gweithio ei wyrthiau gochelgar. Eisteddodd Annie o flaen y drych a gweld ei hun yn edrych yn hen.

'Yr arferol, Mrs Lewis?' yn union fel y gofynnai bob tro. Gwenodd yn ddewr ar ei rhan, gan edliw yn dyner efallai y byddai dos bach o'r arferol yn ddigon i liniaru ychydig ar ei phoen. Gan mai brwshys, hylifau a lliw gwallt oedd ei unig arfau, ei swyddogaeth oedd eu trin yn dalog a gobeithiol. Aeth ati i gymysgu'r melyngoch cyfarwydd.

'*Platinum*,' meddai hithau.

'Beg pardon?'

'*Platinum blonde*, fath â Jean Harlow. A gei di blycio fy *eyebrows* hefyd, fesul un. Dim ots os ydi o'n brifo.'

Tybiodd Meic fod Annie'n crynu, dan deimlad. Gallai ddeall hynny, ond mi roedd yntau wedi cynhyrfu. Fel arfer, byddai wedi dweud wrthi'n blaen, 'Na, na, trystia Monsieur Michel, fyddai hynna ddim yn gweddu o gwbl. Lliw mwynach fyddai orau, rhywbeth mwy addas i *lady* aeddfed.'

Damia, fel arfer, bron na fyddai wedi gallu dweud wrthi, 'Callia, ti'n rhy hen,' a byddai Annie wedi chwerthin yn braf a chytuno.

'Brun doré,' meddai'n frysiog. Beth am rywbeth tywyllach os am newid? *Chic* iawn; byddai'n gweddu dy groen a gwneud i'r llygada glas del 'na sbarclo.'

Caeodd Annie ei llygaid glas ac meddai drachefn, '*platinum blonde*'.

'Mi wnaiff y cymysgedd ddifetha dy wallt di.'

'Plîs, Meic – *platinum blonde.* Faint o weithia *sy* raid i mi blydi deud wrthot ti?'

Rhoddodd y 'blydi' ysgytiad iddo a'i atgoffa drachefn o'i hamgylchiadau.

'Annie fach, meddylia, plîs, be ddeudith pobol?'

'Dim ots. Dwi'n wahanol rŵan a rhaid i mi edrych yn wahanol os dwi am fyw yn fy nghroen.'

Doedd neb erioed wedi gofyn iddo am y fath liw o'r blaen. Doedd yna fawr o alw am *platinum blonde*, dim ym Mangor yng ngwanwyn 1937 beth bynnag. Rhoddodd ei ddwy law ar ei hysgwyddau ac edrych i fyw ei llygaid yn y drych.

'Os na cha' i'r gymysgedd yn iawn, mae 'na beryg y gwnei di edrych fel caneri.'

Edrychodd Annie'n ôl arno am eiliad, yna chwarddodd, 'Twît, twît, twît!'

Daeth ofn ar Meic: 'Annie, gwranda, gan ein bod ni'n ffrindia, mi wna i liwio fo'n ôl i ti am ddim, dwi'n addo.'

'Do's dim rhaid i ti addo,' meddai hithau'n dawelach o fod wedi cael ei ffordd ei hun. 'Dwi isio edrych fel hogan, unwaith eto.'

Roedd y gymysgedd yn llosgi ei phen ac yn cosi ei ffroenau. Dychmygodd yr amonia'n toddi ei hymennydd a'r past ar ei phen fel powltris yn tynnu'r drwg i gyd allan. Cyn pen dim, byddai'r blynyddoedd yn golchi i lawr y sinc a byddai hithau'n wahanol.

'Gwell nag oeddwn i 'di ofni,' meddai Meic, gan rwbio cudyn rhwng ei fysedd ac Annie'n syllu arni hi ei hun, yn wlanog, gwelw a rhychlyd, fel rhywbeth cyntefig newydd ddeor.

Ffurfiodd Meic gyrls bach tynion a'u pinio i'w phen.

‘Cofia,’ meddai wedyn, ‘os gwnei di newid dy feddwl.’

‘Wna i ddim.’

Edrychai’n well ar ôl i’w chyrls setio ac wedi i Meic eu mowldio a’u ffluwcho i’w lle.

‘Voila – oh-la-la!’ Ac yna’n sobrach, ‘wyt ti’n teimlo fymryn yn well rŵan?’

‘Ydw. Gwell o lawar.’

Roedd ei gwallt fel helmed ac edrychai hithau’n beth galed. Hen ast, meddyliodd. Hen ast hen.

Roedd Meic yn bendant; dim i’w dalu a dim i’w dalu pe bai hi’n newid ei meddwl. Syllodd genod y salon arni, yn ansicr eu barn. Doedd neb yn ddigon siŵr i allu dweud gair wrthi. Ac ar ôl iddi adael: ‘Faset ti’n meiddio?... Mi fasa’n edrych yn well arna i... Bydd gwallt fel ’na’n rhoi *ideas* i bobol...’

‘Genod, genod,’ dwrdiodd Monsieur Michel yn sbriws ac aethant yn ôl at eu gwaith. Ni fu sôn am *platinum blonde* yn y salon am fisoedd wedyn. Tan i Avril Paige ofyn am yr un lliw. Ac mi roedd honno, chwedl un o’r genod, yn mynd hefo dynion ac yn yfed mewn tafarndai.

* * *

Roedd Annie dros ei hanner cant, yn ddigon hen i fod yn fam i Jean Harlow ac yn hen ddigon hen i fod yn nain. Yn dda i ddim ond i wau, er na fyddai’n cael cyfle i wneud hynny bellach ychwaith. Doedd hi’n ddim ond plisgyn hurt, yn wallt a sodlau, sanau rayon, staes rwber a mymryn o lipstig. Un gnoc fach ac mi fyddai’n deilchion.

Ychydig yn ieuengach oedd Eluned druan, ei ffrind, pan fu hi farw – ar ddiwedd y rhyfel – flynyddoedd yn ôl bellach. Feddyliodd Annie erioed y byddai'n gallu uniaethu cymaint â hi. Ond, wedi ceisio a methu dynwared Jean Harlow, roedd yn haws iddi'r prynhawn hwnnw feddwl am Eluned nag am neb arall yn y byd a hithau ar goll ac yn ddrylliedig gyda'i gwallt gwarthus.

Edrychai Eluned fel hogan a hynny heb wneud unrhyw ymdrech. Brithodd ei gwallt, ond arhosodd ei chroen yn raenus a di-rych. Nid ei bod hi'n dlws, roedd hi ymhell bell o fod yn hynny. Mi roedd ganddi un goes yn fyrrach ac yn deneuach na'r llall ac un esgid â haen o gorcyn hyll o dan ei gwadn. Hyd y gwyddai neb, unwaith erioed y rhoddwyd *compliment* i Eluned. Nadolig 1884 yng ngwasanaeth carolau'r Plas. Yr hen Farcwis yn dymuno cyfarchion y tymor i'w weithwyr ac yn sylwi ar Eluned.

'Pretty girl,' meddai.

A phawb yn grediniol wedyn ei fod yn fwy meddw nag arfer y Nadolig hwnnw. Doedd neb yn cofio beth fu ymateb Eluned.

Plentynnaidd oedd y gair amlwg i'w disgrifio. Gallai rywun ei dychmygu'n bum mlwydd oed, mewn ffedog a throwsus pais. Pe byddai wedi byw i fod yn gant, byddai modd ei hadnabod o'i llun ysgol. Os oedd yna'r fath beth â llun ysgol i'w gael yn Llanedwen yr adeg hynny. Digon o waith – ryw nunlle oedd Llanedwen; ychydig o dyddynnod, Plas, a hyd o lannau'r Fenai, a orweddai rhwng pentrefi Llanfairpwll a Brynsiencyn. Hawdd iawn i ffotograffydd, a phawb arall, anghofio'n llwyr amdano.

Ni chafodd Eluned gyrraedd ei hanner cant, hyd yn oed. Cafodd Annie delegram o Frynsiencyn oddi wrth Mrs Doctor Stanley a gyflogai Eluned fel companion iddi:

Eluned perilously ill – stop – Spanish Influenza – stop.

Daeth yn stop arni ymhell cyn i Annie ddal y trên; bu'n rhaid iddi hithau ymorol am Frank a Cyril cyn cychwyn (er doedd wiw iddi feddwl am Cyril).

Melltith o ffliw ddaeth ar ddiwedd y Rhyfel Mawr. Lladdai'r iachaf ymhen oriau, byddent yn troi'n las, yn tagu nes rhwygo'u perfedd a deuai gwaed i'w cegau a'u clustiau. Eluned druan, yn druenus hyd y diwedd.

Dychwelodd Annie i Frynsiencyn ar gyfer y cynhebrwng, yn ei chostiwm du o Siop Wartski's.

'Smart,' meddai pobl Llanedwen, fel petaent yn edliw bod Annie wedi codi tu hwnt i'w safle rywsut. Dychmygodd Annie beth fyddai ymateb Eluned i'w gwisg. Byddai'n craffu ar y gwiniadau'n gyntaf, yna sut roedd y leinin yn gorwedd a rhwbio'r llabedi'n ofalus. Beth bynnag arall a feddyliai o'r costiwm, gwyddai Annie y byddai Eluned yn siomedig â'r lliw. Hyd yn oed ar gyfer cynhebrwng, ei chynhebrwng hi ei hun, hyd yn oed. Roedd ei chwaeth yn blentynnaidd.

Gwahoddwyd Annie i'r te cynhebrwng yn Nhŷ Mrs Doctor Stanley. Roedd honno eisiau gair bach â hi.

'Chwith ar ôl yr hen Eluned druan,' meddai pawb, heb ymhelaethu ar paham yn hollol.

Ac wedi clirio'r brechdanau ciwcymbr a samwn tun a'r teisennau cnau a lemon, cydiodd Mrs Stanley ym mhenelin Annie a'i thywys yn gyfrinachol i'r lobi. Roedd yn fater delicet a gwasgodd Mrs Stanley ei dwylo bach tewion.

'Roedd Eluned druan, tua'r diwedd yn holi amdanoch chi, Mrs Lewis.'

'Ac mi roeddwn innau'n rhy hwyr.'

'Peidiwch â phoeni am hynna, Mrs Lewis fach. Roedd y peth yn *impossible*. Digwyddodd popeth mor ddychrynllyd o sydyn. Dychrynllyd...' Roedd Mrs Stanley'n syllu ar y sgertin, yn ffurfio'i geiriau'n ofalus, gan sicrhau eu bod yn ddigon gweddus i'w cyflwyno i'r byd.

Mae'n siŵr mai dyna sut bydd hi'n cachu hefyd, meddyliodd Annie.

'Roedd am i chwi dderbyn rhywbeth ar ei hôl... Er a dweud y gwir, wn i ddim a fyddech chi eisiau unrhyw beth. Roedd ganddi beth wmbreth o greiriau a phethau... Ond wedyn ar ôl yr influenza... y germs ac ati...'

'Dwi'n fodlon 'i siawnsio hi, Mrs Stanley.'

'Diolch, Mrs Lewis. Doedd gen i mo'r galon i losgi dim cyn i chi ddewis ychydig o nic-nacs. Sentimental value, ynte? Tydan ni i gyd yn dueddol o fod yn sentimental?'

Dilynodd Mrs Stanley i fyny'r grisiau. Roedd yn dŷ braf, cysurus ac yn llawn goleuni. Blodeuai popeth, rhosod mewn ffiolau a'r waliau wedi eu haddurno â phatrwm o wyddfid ar drelis gwyrdd. Ar ben y landin, tynnodd Mrs Stanley hances boced o'i llawes a'i gosod dros ei hwyneb.

'Mi wna i adael llonydd i chwi ddewis, Mrs Lewis,' meddai drwy'r hances, gan godi un llaw fach dew a gwneud ystum fel bwa. 'Unrhyw beth, cofiwch,' ac aeth i lawr y grisiau.

Yn llenwi un gongl o'r ystafell, roedd arth wedi'i stwffio. Gwisgai fwclis rhad a hongiai un o hetiau Eluned dros un glust. Roedd ei dwy bawen wedi codi, yr ystum yn fwy bendithiol na bygythiol a gwenodd Annie. Cofiodd Eluned yn ei phrynu yn ocsiwn y Plas. Bu rhaid cael cart i'w hanfon i'r bwthyn a rannai gyda'i thad yr adeg hynny.

A'r diweddar Bob Wmffras, tad Eluned, yn taranu, 'Be ddiawl? Pam na faset ti wedi bodloni ar dedi-ber, dŵad?'

Gwthiwyd yr arth ar osgo i'r llofft a'i rhwymo ar fachyn, wysg ei gwddw, i blygu'n dyner dros wely Eluned.

Roedd Annie'n falch o weld yr arth a dychmygodd Eluned yn herio Mrs Stanley wrth ei gosod yn ei hystafell. Cawsai hithau o'r diwedd ddigon o uchdwr i sefyll yn syth, ei phresenoldeb a'i haroglau yn parhau i warantu cwsg melys i Eluned hyd y diwedd. Anwesodd Annie flew'r arth, ond cofiodd am y ffliw a'r germau, er doedd dim ots, roedd wedi cytuno i'w siawnsio hi.

Tu allan i'r wardrob hongiai un o wisgoedd rhyfeddol Eluned, yn glytwaith cywrain o wahanol ddefnyddiau: cotwm glas golau, gyda border trwchus o wyrdd igam-ogam o gwmpas yr hem i gynrychioli glaswellt. Ar frest y ffrog, yn fawr a chrwn fel plât cinio, roedd wedi pwytho a brodio defnydd melyn i edrych fel blodyn yr haul. Roedd i'r blodyn goes a dail a dyfai o'r border gwyrdd. Byddai'r wisg yn codi gwên ar y sawl a nabodai Eluned, ond hebddi, edrychai'n od ac amddifad. Ar y llawr, yn union o dan y ffrog, roedd pâr o esgidiau. Rhai hyll, gyda chareiau uchel, un ohonynt gyda gwadn drwchus.

Nid agorodd Annie'r wardrob gan y gwyddai na allai byth wisgo dillad Eluned, ddim i barti gwisg ffansi hyd yn oed, er na fyddai'n debygol o dderbyn gwahoddiad i achlysur o'r math. Meddyliodd am Mrs Doctor Stanley yn eu llosgi i gyd. Neu'n hytrach, yn rhoi ordors i rywun arall garthu'r ystafell.

'Ia, popeth, dwi am i chwi losgi popeth.'

Gwyddai Annie wedyn na allai ddychwelyd adref yn waglaw.

Wedi'i wthio i ffrâm drych y bwrdd glàs, roedd llun o gi Pekingese ac Eluned wedi ysgrifennu 'Mr Pekoe' arno. Fyddai neb yn gallu dyfalu o'r llun peth bach mor ddrewllyd ydoedd, na faint o flew a gollai, na faint o frwsio roedd angen ei wneud arno i gadw'r blew rhag matio'n beli caled drosto. Gwenodd Annie a rhoi'r llun yn ei bag.

Ar y bwrdd glàs, roedd sent mewn potel grisial ac ar y label, Guerlain Jicky Paris. Agorodd y caead ac anadlodd y mymryn oedd ar ôl. Lafant a mwsg, glendid a budreddi. Daeth dagrau i'w llygaid ac eisteddodd ar erchwyn y gwely.

Edrychodd ar y ffrog unwaith eto a sylweddoli – cofio – beth roedd Eluned am iddi ei achub. Daeth o hyd iddo yn y lle amlycaf, sef drôr y bwrdd glàs. Llyfr gwyrdd, gyda rhes o flodau'r haul arno a'r gair Album mewn llythrennau cyrliog. Gwyddai Annie ei bod wedi dewis yn gywir a daeth teimlad o foddhad a buddugoliaeth drosti. Gyda llun y ci a'r botel sent yn ei bag a chan gydio yn yr albwm fel tarian dros ei mynwes aeth i ddymuno'n dda i Mrs Doctor Stanley wrth adael.

'Dwi wedi dewis, diolch i chwi, Mrs Stanley,' galwodd o'r lobi.

Daeth Mrs Stanley o'r parlwr yn smalio twtio'i gwallt, er nad oedd blewyn o'i le ganddi. Sylwodd ar yr albwm. 'Ai dyna'r oll?'

Tynnodd Annie'r botel sent o'i bag.

'*Perfume*? Wyddwn i ddim fod Eluned yn gwisgo *perfume*... Ffrensh hefyd. Dwi'n ffeindio perfumes Ffrensh braidd yn drwm, dydych chi ddim, Mrs Lewis?'

Anwybyddodd Annie'r cwestiwn. 'Os dwi'n cofio'n iawn, rhyw gadw-mi-gei bach o'r Plas oedd hwn. O'r ocsiwn. Yr un fath â'r arth...' Aeth i'w bag drachefn, 'dwi wedi dewis llun o Mr Pekoe hefyd.' Syllodd Mrs Stanley ar y llun.

'O, ia – Mr Pekoe.'

'Bu Mr Pekoe'n byw yma hefo chi'ch dwy am gyfnod, yn do?'

'Mi gladdon ni o yn y gwely rhosod.'

'Well i chi 'i gadw fo, felly.'

Gwthiodd Annie'r llun i ddwylo bach tewion Mrs Stanley.

'Thoughtful iawn, Mrs Lewis.'

Gobeithiai Annie'n daer y byddai Mrs Stanley'n dioddef pwl bach o rywbeth annymunol wrth luchio Mr Pekoe i'r tân.

* * *

Ddeunaw mlynedd yn ddiweddarach, wedi dychwelyd adref o salon Monsieur Michel, tynnodd Annie'r albwm a'r botel sent o ddrôr ei bwrdd glàs hithau. Cafodd gip arni hi ei hun yn y drych. Dyna un fantais o gael gwallt fel caneri; roedd yn arwydd iddi hi a phawb arall fod popeth wedi newid.

Sylwodd nad oedd ei gwallt na'i hwyneb bellach yn cydweddu â'i gilydd. Roedd Meic a hithau wedi anghofio gwneud dim â'i haeliau. Ac yn hytrach na bachau tenau syn fel Jean Harlow, edrychai fel petai dwy siani flewog wedi setlo ar ei thalcen.

Rhoddodd yr albwm a'r botel sent yn ei chês ac wrth adael y tŷ, postiodd ei goriadau drwy'r drws. Cerddodd at stesion Bangor; doedd unlle iddi ddianc bellach, ond ben pellaf Sir Fôn.

2

ROEDD ANNIE WEDI gadael llythyr i'w gŵr ar bwys y tegell, gyda'i enw, Frank, ar yr amlen. Meddai'r llythyr:

> Annwyl Frank,
> Dwi wedi gadael. Paid â dod ar fy ôl i. Mi fydd popeth yn well fel 'ma.
> Annie.

Dim cariad, dim cofion, dim dymuniad o fath yn y byd. Doedd hi'n fawr o un am lythyru na rhoi llawer o feddwl i'r hyn a ysgrifennai, ond petrusodd cyn arwyddo'i henw. Ni allai feddwl am yr un dymuniad addas, felly rhaid i Annie yn syml wneud y tro.

'Arnat ti mae'r bai...' meddai Frank wrthi.

Roedd yn beth creulon i'w ddweud, ond yn berffaith wir. Roedd hi'r un mor frwd â Cyril am iddo gael y motor-beic a heb hwnnw, byddai'n dal yn fyw. Ar y llaw arall roedd Frank am iddo bwyllo, cynilo a phrynu car ail-law yn nes ymlaen, wedi i'r awydd am sbîd ddiflannu gydag aeddfedrwydd.

'Dos di, 'machgen i – mwynha dy hun,' meddai Annie. Ei herio fel arfer i anwybyddu ei dad.

Yna, ar yr un gwynt, mi roedd Frank yn ymddiheuro. Rhuthrodd ati a'i hysgwyd.

'Maddau i mi wnei di? Wnei di faddau i mi Annie?'

Rhoddai Frank y bai ar rywun neu rywbeth am bopeth âi o'i le. A pho fwyaf yr anffawd, mwyaf fyddai ei angenrheidrwydd dros feio. Pan ddaeth y plisman draw, y peth cyntaf ofynnodd Frank iddo oedd, 'Ai y fo oedd ar fai, *officer*?'

'Doedd neb ar fai, Mr Lewis. Damwain oedd hi.'

A syllodd Annie ar flodau'r carped, wrth i bopeth wywo o'i chwmpas.

Ar ôl y cynhebrwng, mentrodd Frank ddweud, 'Pwy a ŵyr Annie fach, na ddaw hyn â ni'n agosach at ein gilydd.'

Ond gwyddai Annie ar ôl blynyddoedd o ymbellhau, na fynnai ac na allai fyth glosio'n ôl ato. Byddai popeth amdano'n ei hatgoffa o Cyril a'i absenoldeb. Heb Cyril i ddilysu'r cyswllt rhyngddynt a llenwi'r bwlch, doedd yna ddim ar ôl rhyngddynt.

Dychmygai'r blynyddoedd o'i blaen: gwallt Frank yn teneuo ac oglau ei gasys gobennydd yn suro rhwng pob golchiad. Canlyniadau'r pêl-droed ar y weiarles bob nos Sadwrn yn rhagarweiniad i'r oriau diddiwedd yng nghwmni ei gilydd. Byddai Annie'n arfer edrych ymlaen at nos Sadwrn at gael aros ar ei thraed yn hwyr yn disgwyl i Cyril ddod adref. Nid er mwyn ei ddwrdio, ond er mwyn cael holi. Sut mae sgerti'r genod eleni? Llaes yntau cwta? Pa ganeuon sydd â mynd arnyn nhw? Sut maen nhw'n dawnsio? A byddai Cyril yn dangos y dawnsfeydd diweddaraf iddi, yn symud y dodrefn a windio'r gramoffon ac Annie'n chwerthin a gweryru, 'dwi'n un dindrom,' ond buan y dysgai'r camau a'r ystumiau newydd.

Weithiau, byddai'r twrw'n deffro Frank a chnociai lawr

y llofft â'i ffon golff i'w hatgoffa ei fod am rownd gynnar y bore wedyn.

'O, mae dy dad yn rêl bwbach!' meddai Annie gan ysgwyd ei dwrn at y nenfwd, er nad oedd hi lawer dicach, a byddai Cyril a hithau'n chwerthin.

* * *

Cyn iddynt briodi yn 1910, aeth Frank a hithau i Lanedwen i weld mam Annie a rhoddodd Frank fwnsiad o flodau iddi. 'Mi fyddi di fel roialti os briodi di hwnna…' meddai Bessie Robaits. Diolchodd Annie nad oedd ei mam o gwmpas bellach i'w gweld hi'n gadael ei chartref am y stesion gyda'i chês. Diolchodd nad oedd Augusta Lewis, ei mam-yng-nghyfraith, o gwmpas ychwaith. Yr hen beunes! Os oedd rhywun fel roialti, Augusta oedd honno, yn fwy ffroenuchel na'r un pen coronog yn Ewrop. Hi a fynnodd ar briodas dawel: 'Tydan ni'n fawr o bobol capal, felly rhagrith fyddai seremoni grefyddol. A byddai'n gost i'ch teulu chi, Annie.' Cytunodd Annie er mwyn gwarchod mursendod Augusta a balchder ei mam.

Ar ddydd ei phriodas, gwisgai Annie daffeta o liw efydd a weddai ei gwallt melyngoch. Ffrog orau oedd hi, yn hytrach na ffrog briodas. Cysurodd ei hun nad ydi ffrog briodas yn dda i ddim, ond i'w thynnu o'r drôr ac o'i phapur sidan i'w bodio'n hiraethus ar ambell brynhawn glawog. Ar ei ffordd i'r stesion, cofiodd iddi adael ffrog fedydd Cyril yn ei phapur sidan mewn bocs ar ben y wardrob, ond ni allai ddychmygu'r un prynhawn glawog pan fyddai'n ddigon dewr i'w thynnu hi allan byth eto.

O Landudno ar eu mis mêl anfonodd Annie ddau

bostcard i Lanedwen. Llun o'r Happy Valley i Bessie Robaits a chath mewn pantalŵns a het wellt ar feic i Eluned:

Wedi priodi Frank, y ddau ohonom ni'n hapus iawn.
Byddaf draw cyn y Nadolig,
Annie x

Erbyn y Nadolig, roedd gwylltineb Bessie Robaits ynglŷn â cholli'r briodas wedi lleihau ychydig, ond croeso digon surbwchaidd a gafodd Annie ganddi. Ar y Dydd Sul y galwodd i'w gweld er y gwyddai nad oedd hwnnw'n ddiwrnod da i unrhyw un yn Nhy'n Clawdd. Roedd Arthur, ei thad, heb godi, wedi cael fel arfer llawer gormod i'w yfed y noson cynt.

'Fedrwn i ddeall pam na faset ti isio gwneud llawer o'r peth os faset ti 'di priodi ryw ffŵl o feddwyn fath â hwnna,' meddai Bessie gan ystumio'i bawd tua'r siambr. 'Ond Frank… ac ynte'n hogyn mor neis a chlên.'

Brathodd Annie ei thafod rhag dweud mai Frank a'r hen beunes ei fam a fynnodd na châi Bessie nac Arthur ddifetha dim ar y diwrnod.

'Mae wedi'i wneud rŵan,' meddai'n fflat. Aeth ymlaen i adrodd stori'r briodas, gan osgoi dweud dim am Augusta. A heb honno, nid oedd lawer i'w ddweud. Rhoddodd lun o Frank a hithau i Bessie, y ddau yn gyfflyd a di-hwyl yn eu dillad priodas.

Rhedodd Bessie ei bys yn barchus dros lun Frank. 'Hogyn smart,' meddai, 'siwt raenus.' Tarodd olwg goeglyd at Annie. Ymatebodd hithau ddim, yn benderfynol na fyddai'n cydnabod y gnoc i'w balchder. Wedi'r cwbl, y hi oedd wedi parchuso, tra fel y dywedai Bessie ei hun yn aml a herfeiddiol: 'Dwi'n gwybod fy lle, gwaelod y domen.'

Rhyngthi hi a'i phethau, meddyliodd Annie, os ydi am gredu fod arna i gywilydd ohoni.

'Rhaid i Nhad a chitha ddod draw i'n gweld ni.'

'Ella down ni,' meddai Bessie, gan blygu ei breichiau. 'I ni gael rhythu ar dy dŷ crand di.'

Roedd llai o hwyliau nag arfer ar Bessie'r Sul hwnnw ac nid yn unig am fod Arthur wedi potio'n helaeth y noson gynt. Bu'n fyr ei hamynedd ers wythnosau a llusgai ryw fud wewyr drwy'i pherfedd yn gyson.

'Well i mi 'i throi hi,' meddai Annie ar ôl gorffen ei phaned a rhedeg allan o sgwrs. 'Dwi am alw hefo Eluned cyn mynd adra.'

'Mae Eluned wedi colli'i thad,' meddai Bessie. 'Bu farw Bob Wmffras bythefnos yn ôl.'

'Pam ddiawl na fasech chi 'di deud wrtha i?'

Gwylltiodd Annie ac aeth yn syth am y drws.

'Dwyt ti ddim yn ormod o wraig fawr i ddiawlio, yn amlwg!'

A dyna'r peth olaf ddywedodd Bessie Robaits wrth ei merch. Bu farw ymhen deufis. Ar goll heb ei chega, dilynodd Arthur hi i'r bedd lai na blwyddyn yn ddiweddarach.

Aeth Annie'n syth i dŷ Eluned, gan deimlo'n gas nad oedd wedi ymweld â Llanedwen na'i chyfeilles ers pum mlynedd. Angladd y Marcwis oedd yr achlysur bryd hynny. Nid yr hen begor a dybiai, yn ei ddiod, bod Eluned yn ddel, ond ei fab, Henry Cyril, y pumed Marcwis. Ar un cyfnod, bu hwnnw'n gyflogwr a chymwynaswr i Eluned a hithau.

Eluned druan, meddyliodd Annie, mi fydd hi'n meddwl 'mod i'n hen dderyn corff... Ac wedi cofleidio a chydymdeimlo â'i chyfeilles, dywedodd wrthi, 'mae'n gas gen i feddwl nad wyt ti byth yn fy ngweld i bellach o dan amgylchiadau hapus.'

'Dwi'n falch o dy weld ti unrhyw bryd,' meddai Eluned. 'Biti dy fod ti wedi colli cynhebrwng Tada hefyd, roedd o'n gynhebrwng neis. Mi ddylwn i fod wedi deud wrthot ti.'

'Lle Mam oedd deud wrtha i!'

Wrth i Eluned sôn am y cynhebrwng, sylwodd Annie ar y blerwch a'r esgeulustod o'i hamgylch. Roedd crawn wedi casglu yn llygaid Mr Pekoe ac wrth iddi ei fwytho, daeth yn amlwg o'r clymau dan ei glustiau ei fod angen cael ei frwsio. Roedd llwyth o lestri heb eu golchi wedi eu gwthio i ben y bwrdd a dillad budron yn mwydo mewn basged. Roedd Eluned ei hun, er mor lliwgar ei gwisg fel ag erioed, yn llesg a'i henc yn amlycach. Ochneidiodd wrth eistedd ac nid oedd arni lawer o awydd symud wedyn.

Gwawriodd ar Annie mor unig oedd ei chyfeilles a daeth pwl o hiraeth drosti am Bob Wmffras. Beth bynnag arall oedd hwnnw, roedd yn danbaid amddiffynnol o'i ferch, a hithau, chwedl yntau, yn dipyn o infalîd.

'Be wnei di rŵan, Eluned? Gei di aros yma?'

'Am ryw fis,' meddai Eluned. 'Mae'r stad isio'r tŷ ar gyfer y pen garddwr newydd. Ac wedyn bydda i'n symud i Frynsiencyn. Mae Mrs Doctor Stanley wedi gofyn i mi fod yn gompanion iddi. Mae hi'n teimlo'n unig ar ôl colli'r doctor, y mab yn Llundain a'r ferch yn Lerpwl. Ac ella'i bod hi'n teimlo'n gas na fedrodd Doctor Stanley wneud dim i fendio 'nghoes i pan oeddwn i'n hogan fach.'

Ac ella bod yr hen sguthan angen sgifi a chael ei gweld yn fawr a haelfrydig gan bawb, meddyliodd Annie.

'Tyrd draw i Fangor ata i.'

'O na, fedrwn i ddim yn fy myw! Mae gen ti Mr Lewis i edrych ar ei ôl.'

Roedd Eluned wedi camddeall a meddyliodd Annie sefyllfa mor rhyfedd a difyr fyddai cael Eluned i fyw dan yr un to â Frank a hithau. Beth ddywedai Frank? Gwell fyth, beth ddywedai Augusta?

'Tyrd am ryw wythnos neu ddwy cyn i ti symud i Frynsiencyn – holidê bach.'

'Wyt ti'n meddwl?' Ac yna siriolodd Eluned. 'Dwi 'rioed wedi cael holidê o'r blaen. Gaiff Mr Pekoe ddod hefyd?'

Wythnos yn ddiweddarach, roedd Eluned yn sefyll ar ganol parlwr Annie, yn edrych o'i chwmpas fel dynes o'r lleuad, gyda Mr Pekoe dan ei chesail. 'Ww – yy, mae'n dywyll yma.'

Hen dŷ tywyll a chyfyng oedd o, gyda chraig serth tu cefn a rhes o dai bach cyfyng gyferbyn. Er bod Annie'n ddigon hoff o'i chartref, ni chafodd ei addurno fel y dymunai. Bu Frank yn hel ei bres ers iddo ddechrau gweithio gyda'r Cyngor Tref ac yna am flynyddoedd wedyn tra bu'n canlyn Annie. Trwy gydol eu carwriaeth, gwario a wnâi Annie. Ar ôl talu am ei llety, byddai pob ceiniog yn mynd yn ôl i'w chyflogwr, Mr Wartski. Prynai ffrogiau, coleri les ac esgidiau gyda botymau bach i fyny'r ffêr. Ar un cyfnod, gallai ddamcanu mai hi oedd yr hogan smartia ym Mangor a gan fod hyn yn beth da i'w fusnes, câi ddisgownt hael gan Mr Wartski.

Yn raddol, daeth Augusta i'r casgliad fod Frank o ddifri ynglŷn â phriodi Annie a chynigiodd eu helpu i sefydlu aelwyd. Dadlwythodd ei hen ddodrefn, llenni ac ornaments arnynt, nes i'r tŷ wegian dan bwysau'r holl fahogani, melfed a tsieni. Hefyd y piano na allai neb ei chwarae, y jygiau mawrion nad oedd llenwi na chodi arnynt a'r cŵn tsieni yn eistedd ar y silff ben tân ac a browliai drwy freuddwydion Annie.

'Tyrd, mi awn i'r gegin. Mi wna i baned i ni'n dwy ac mi gaiff Mr Pekoe soseraid o lefrith.'

Er ei bod yng nghefn y tŷ, heb fath o olygfa heblaw am y graig lwyd, roedd y gegin yn ysgafnach lle ac yno bu Eluned y rhan helaeth o'r wythnos a dreuliodd ym Mangor. Hawliodd beiriant gwnïo Annie a gwnaeth lenni i'r llofft. Aeth y ddwy allan i siopa un prynhawn a phrynwyd sidan melyn gyda phatrwm o bobl bach o Tsieina'n cadw reiat drosto i gyd. Roedd gan Annie gymaint o feddwl o'r cyrtens aeth â nhw gyda hi pan symudodd Frank a hithau i Menai Villa yn dilyn marwolaeth Augusta. Arhosodd popeth arall yn ei le, i bwy bynnag wneud yr hyn a fynnent â hwy. Ond, gresynai Annie wrth feddwl am ryw hogyn bach fath â Cyril yn cael ei orfodi i ddobio ymarfer ar y piano.

Daeth Frank adref o'i waith. 'Sut ydach chi, Eluned?'

'Yn dda iawn, diolch, Mr Lewis.'

'Frank. Plîs, galwch fi'n Frank. Frank by name, Frank by nature – ha, ha!'

Rhythodd Eluned arno. Ac yna, dechreuodd Frank disian.

'Wyt ti'n hel annwyd, Frank?' gofynnodd Annie.

'Wn i ddim beth sy mater arna i wir. Maddeuwch i mi, Eluned.'

Yna daeth Mr Pekoe ar duth o'r gegin.

'Ewch â fo o 'ma!' gwaeddodd Frank.

Rhoddodd Eluned y ci dan ei chesail a rhuthro i'r gegin.

'Frank – paid â bod mor bowld.'

Tisiodd Frank drachefn.

'Wiw i'r peth blewog 'na ddod yn agos ata i. Mae'r doctor wedi dweud 'mod i'n cael *severe reaction* i gŵn blewog. Mi fydda i'n taflu i fyny a chael rash y peth nesa, gei di weld.'

Edrychodd Annie'n ddirmygus arno am eiliad ac aeth i'r gegin at Eluned.

'Ww – yy, mae Mr Lewis wedi cymryd yn erbyn Mr Pekoe.'

'Nag ydi siŵr. Blew Mr P sy'n ffyrnigo'i drwyn o.'

'Well i ni fynd...'

'Na wnewch, wir!'

Roedd Annie wedi gwylltio erbyn hynny. 'Mi gaiff Frank fynd i aros at ei fam am ychydig os ydi o mor dendar.'

Aros a wnaeth Frank a dal i disian. Ond ni fu'n crafu na chwydu. Sicrhaodd Annie y byddai popeth yn iawn, ond i Mr Pekoe aros yn y gegin neu yn yr iard gefn.

'Mi fydd hi'n haws mopio ar ei ôl os gwnaiff o'i fusnes ar deils y gegin,' cytunodd Eluned.

A meddyliodd Annie, biti na fasa fo'n cael piso faint a fynnai ar ddodrefn Augusta.

Ar ei ben ei hun yn y parlwr, meddiannwyd Frank gan gymysgedd o annifyrrwch ac euogrwydd. Pan ddeuai Annie ac Eluned ato o'r gegin gyda phaned, byddai'n ceisio gwneud yn iawn am y modd y gwnaeth drin Mr Pekoe. Roedd yn or hwyliog, yn llawn straeon digri ac yn defnyddio mwyseiriau roedd Annie wedi'u clywed droeon ac wedi syrffedu arnynt, ond nid oeddynt yn golygu dim i Eluned. Wrth ddarllen ei bapur, byddai sŵn y peiriant gwnïo a chwerthin y merched yn ei gorddi a melltithiodd y ci rhech a'i gwnaeth yn alltud yn ei dŷ ei hun, ynghanol creiriau ei blentyndod.

Er hynny, ni chawsai Annie gymaint o hwyl ag a dybiasai. Ymateb Eluned i'w cholledion oedd aros yn sownd yn y gorffennol. Dechreuai ei sgyrsiau, gyda, 'wyt ti'n cofio Annie…' neu byddai'n troi pob sylw a stori yn ôl at rywbeth a ddigwyddodd flynyddoedd yn ôl. Ac er bod yr atgofion, at ei gilydd, yn rhai braf, byddent yn codi'r felan ar Annie, er na allai ddweud paham.

Byddai'n sôn byth a beunydd am hen bobl Llanedwen ac am ddywediadau Bob Wmffras. Ond yn fwy na neb na dim arall, byddai'n sôn am y pumed Marcwis gan ei alw'n Henry Cyril bob tro. Rhyfedd, meddyliodd Annie, fod y Marcwis yn Henry Cyril ganddi a Frank, Clerc y Cyngor, yn Mr Lewis. Roedd gan Mr Pekoe deitl hyd yn oed.

Roedd hwyliau Eluned wedi trymhau erbyn ei noson olaf. Roedd hi'n gyndyn o fynd adref yn gwybod y byddai'n rhaid iddi adael ei chartref eto cyn bo hir.

'Wyt ti'n cofio Annie…' A gwyddai hithau fod atgofion Eluned wedi troi drachefn at y Marcwis. 'Fel roedd y bedd wedi'i leinio hefo mwsog a sanau'r gog a thiwlips a lilis gwynion?'

'Roeddwn i'n meddwl mai chdi wnaeth hynna.'

Roedd Annie wedi dychmygu Eluned wrthi tan oriau mân y bore'n clustogi pridd amrwd y bedd, ond sylweddolodd y byddai hynny'n amhosib o ystyried y peth. Lle cawsai hi afael ar y fath fwsog a blodau a'r fath drafferth y byddai wedi'i gael yn disgyn a chodi o fedd, a hithau'n gloff ar noson dywyll.

'Naci, Tada gafodd yr ordors gan Mrs Marcwis. Roedd o'n beth neis i'w wneud, ond, pe bai'r modd gen i, mi fyddwn wedi rhoi *jewels* yno. *Jewels* oedd 'i betha fo, yn fwy na blodau. Ti'n cofio ni'n canu'r emyn?'

'Pa 'run?'

'Iesu, Iesu rwyt ti'n ddigon.'

Ac er nad oedd hi'n un am emynau, cofiodd Annie sefyll wrth ochr bedd y Marcwis, y hi, Eluned a Gwynfor ynghanol pobl fawr. Hanner dwsin o bobl fawr a golwg biwis arnyn nhw. Ac ar ôl i'r Person orffen, dyma Eluned yn dechrau canu, Iesu, Iesu... A phawb yn sbio'n hurt arni, tan i Gwynfor ddechrau canu hefyd.

'Ti'n cofio'i lais o?'

Ac mi roedd hwn yn gwestiwn mor wirion o amlwg ac mor anodd. Llais tenor oedd ganddo, ond ni allai Annie gofio rhywbeth mor fyrhoedlog â llais. Cofiai rywbeth yn agor ac yn chwyddo yn nyfnder ei bod, er mwyn gwneud lle i lais Gwynfor. Dyna'r oll y gallai ei gofio – ei bod hi a'r byd yn ymestyn gyda'i gilydd i dderbyn ehangder ei lais.

'Oes 'na ryw gownt o Gwynfor erbyn hyn?'

'Dwi ddim wedi'i weld o ers hynny,' meddai Eluned. 'Dal yn Llundain am wn i. Roedd Lisabeth Owen yn deud 'i fod o'n canu mewn consarts... Ond cofia, mae honno'n eitha ffwndrus erbyn hyn.'

'Does ddim rhaid i'r diawl bach fod mor ddiarth, nag oes?'

'Gad lonydd i'r hogyn, dwyt ti'n newid dim. A beth bynnag, faset ti isio dod yn ôl yma, os fasat ti'n canu mewn consart yn Llundain bob nos a phobol yn lluchio blodau atat ti?'

'Digon o waith,' a gwenodd Annie, er iddi deimlo'i byd yn crebachu fymryn.

Rhoddodd Eluned anrheg i Annie y noson honno mewn pecyn meddal wedi'i lapio â phapur sidan.

'Agor o.'

Wedi tynnu'r papur a datguddio sidan gwyn, gyda les a phletiau mân, rhoddodd Annie wich, gan dybio mai blows newydd ydoedd.

'Agor o allan yn iawn.'

Roedd y dilledyn yn fach, fach ac yn hir at y llawr a syllodd Annie'n siomedig arno.

'Ffrog fedydd i'r bychan.'

'Ond does na'r un bychan!'

'Mi fydd. Yli'r defnydd a'r trimins. Hefo'r rheina roeddwn i am wneud ffrog i Miss Bassett ar gyfer Cinderella.'

Roedd y dilledyn yn wych; popeth amdano'n ffein ac yn goeth, ond gyda chymysgedd o siom ac ofergoel, ffieiddiodd Annie tuag ato.

'Ella na cha i blant o gwbl. Beth fydda fo'n dda wedyn? Fedra i mo'i dderbyn o. Mae o'n codi arswyd arna i!'

Ond nid ildiai Eluned. Aeth ymlaen i sôn am y plentyn. 'Ella gei di fwy nag un ac os gei di hogyn bach, cei di 'i alw fo'n Cyril. Tydi Cyril yn enw del?'

Ac wrth iddi gynefino â'r enw, dechreuodd ofnau Annie wasgaru.

'Cyril Lewis… C Lewis…'

'Ww – yy, mae o'n swnio fel twrna!'

'Na – actor. Cyril Lewis, actor.'

'Neu ddyn syrcas?'

'Beth ddyweda Frank? Meddylia tisian fydda fo hefo'r holl lewod ac eirth!'

'Ww – yy, ww – yy!' a dyrnodd Eluned ei chluniau mewn llawenydd.

Cyn mynd i'w gwely'r noson honno, cuddiodd Annie'r

ffrog yng ngwaelod ei drôr cobenni, rhag ofn i Frank feddwl ei bod hi'n gwbl wirion a gorllyd.

* * *

Yng ngorsaf Llanfairpwll, cydiodd Annie yn ei chês yn reddfol, cyn sylweddoli nad oedd neb nag unlle iddi hi bellach yno, na Llanedwen, na Brynsiencyn ychwaith. Aeth ymlaen i Gaerwen, newid trên, ac ymlaen i gyfeiriad y gogledd. Roedd y lein tu hwnt i Gaerwen yn ddiarth i Annie, y tirwedd mor wag ac agored nes peri iddi deimlo'n golledig a rhuslyd. Wrth iddi bellhau oddi wrth y Fenai, y lonydd cefn a chaeau ei phlentyndod, roedd fel petai rhyw gortyn wedi'i dorri neu angor wedi dod yn rhydd a hithau'n llithro i le ac amser oedd yn ddiystyr a digysur.

Meddyliodd am Fangor, ei sinemâu a'i siopau tsips, ac edrychodd drachefn drwy ffenest y trên, ar ardal na allai ddychmygu'r un plentyn yn cael lle na chyfle i chwarae. Cofiai am y Sul blaenorol, pan awgrymodd Frank eu bod yn ymweld â bedd Cyril – yn union, fe dybiodd Annie, fel petai wedi taro ar syniad o fynd am owtin. Er ei fod yntau fel hithau'n methu byw yn ei groen, ac yn ysu am unrhyw esgus i adael y tŷ. Syllodd y ddau ar y twmpath pridd ac ar y ffordd adref, yn farwaidd ar fraich ei gŵr, tyngodd Annie na fyddai'n wynebu'r fath ddiwrnod byth eto. Nid yng nghwmni Frank, beth bynnag.

Efallai y byddai'n teimlo'n well wrth agosáu at y môr unwaith eto, yn sicrach o'i lle. Ar lan y môr, mae'n haws gallu pwyntio ar fap a dweud, dyma lle rydw i. Mae Amlwch yn ddigon agos at fôr a mynydd wedi'i wneud o gopr – rhywbeth all leddfu poenau... poenau cryd cymalau, beth bynnag. Ac mae yno borthladd, gyda chychod yn mynd a dod ac ambell un yn falch o gael glanio yno a chael dweud, diolch i'r drefn – dwi'n ôl adra.

Nid bod gan Annie unrhyw fwriad ymgartrefu yno – llacio'i gafael ar Frank oedd ei hunig nod. Fel hyn, gallai yntau ddweud wrth bawb ei bod hi wedi rhedeg i ffwrdd gyda rhywun. Rhyw Joni Nionod neu ddyn pedlera brwshys o ddrws i ddrws. Ni fyddai unrhyw fai arno fo wedyn. Byddai gwragedd gweddw a hen ferched y ddinas yn tosturio drosto, gwneud potes neu bastai iddo, glanhau ychydig ar ei dŷ ac yntau mor unig yn stafelloedd gweigion Menai Villa.

Yn gynharach y diwrnod hwnnw, pythefnos ar ôl angladd Cyril, meiddiodd Annie feddwl am gysylltu â Mr Wartski am swydd. Roedd gan y teulu siopau yn Llandudno a Llundain bellach, yn gwerthu jewels. Ond ni fyddai'n ei chofio a hyd yn oed os byddai'n derbyn ei llythyr a dweud, 'Aah, yes – Annie!' byddai'n sioc iddo'i gweld hi ar ôl yr holl amser.

Efallai y byddai o, neu rywun arall, yn gofyn iddi beth a wyddai am *jewels*. Yr oll y gallai ddweud oedd ei bod yn arfer adnabod Henry Cyril Paget, Marcwis Môn, a ddifethodd ffortiwn ar ddiemwntau, rhuddemau, emeraldiau a saffirau. Hynny a byddai'n neis gallu fforddio…

Doedd dynes o'i hoed hi ddim ffit i werthu dim i neb. Gwaith genod ifanc oedd hynny. Dangos pa mor ddel ydi'r dillad, neu'r hetiau, neu'r *jewels*. Fflyrtian gyda'r gwŷr a'r cariadon: 'Tydi hi'n edrych yn ddigon o sioe? Beth am bâr o fenig i fatsio?' A'r rheiny'n talu drwy'u trwynau am wên.

'I'll be sorry to see you go Annie,' meddai Mr Wartski pan ddywedodd Annie ei bod am briodi flynyddoedd yn ôl bellach. Rhoddodd ei fraich am ei hysgwydd a'i gwasgu. Gadawodd hithau'r ffordd yn glir i Megan Jones gael dyrchafiad heb gystadleuaeth. Ni phriododd Megan ac arhosodd gyda Mr Wartski, gan ddod yn *Manageress* ar y dilladau merched. Ar ôl gadael, byddai Annie'n ei gweld hi o gwmpas y siop, ei chefn fel styllen a'i bron fel bwa, yn codi ofn ar bawb.

* * *

'Rhaid i ti beidio â bod mor ddiarth,' meddai Buddug ar ddiwrnod cynhebrwng Cyril, gan anwesu ei boch. Cydiodd Annie'n dynn yn ei chwaer, gan deimlo am y tro cyntaf erioed hiraeth am ei theulu.

'Tyrd draw i'n gweld ni – tydi Amlwch ddim yn bell, pen pella Sir Fôn ar y trên...'

'O Buddug, diolch i ti! Dydan ni'n gweld dim ar ein gilydd.'

Mwythodd Buddug ei chwaer fach. Yn sydyn, gwthiodd Annie hi a dod yn rhydd o'i chôl.

'Ar Mam roedd y bai...' a syllodd Buddug arni mewn sioc. 'Codi cnecs – ac i be, yr hen bitsh?'

'Rhaid i ti beidio â deud pethau fel 'na, Annie fach. Roedd hi'n anodd arni heb fawr o bres a ni'r plant...' a thawodd yn sydyn.

'Rwyt ti'n iawn,' meddai Annie, gan sobri. ' Rhaid i mi beidio â dweud y fath betha a rhaid i mi ddod draw i dy weld ti rywbryd.'

3

'ANNIE, DYMA BETH ydi syrpreis. Tyrd i mewn!' meddai Buddug mewn syndod.

Aeth Annie i mewn i'r tŷ a dilyn ei chwaer i'r gegin gefn, gan basio'r parlwr bychan.

'Helô, Annie!' meddai Twm, ei brawd yng nghyfraith, yn union fel petai'n ymwelydd cyson.

'Pa hwyl, Twm?' Roedd Annie'n ddiolchgar o glywed ei ymateb didaro.

Roedd bachgen bach ar lin Twm, y ddau'n edrych ar luniau mewn llyfr. Un o'r wyrion, efallai. Yr arswyd, sylweddolodd fod Buddug bron yn ddigon hen i fod yn hen nain bellach.

Rhoddwyd y tegell ar y tân ac eisteddodd Annie a thynnu ei het.

'Y nefi blw, be wnes di i dy wallt?'

'*Platinum blonde*. Ti'n 'i lecio fo?'

'Beth oedd ar dy ben di'n gwneud y fath beth?' Cododd Annie ei haeliau i wahodd rhagor o ymateb. 'Bron na ddeudwn i fod golwg goman arnat ti.'

'Siwtio fi i'r dim, felly. Mi fasa Mam yn falch ohona i, am unwaith.'

Parlyswyd Buddug, y tebot yn ei llaw a'i cheg ar agor. Chwarddodd Annie a gwridodd Buddug. Yna, dechreuodd hithau chwerthin hefyd, yn uwch ac yn uwch, yn fyrlymus ac afreolus. Cydiodd y tebot i'w bron rhag ei ollwng.

'Rhaid i ti beidio…'

'Gwaelod y domen!'

'Paid!' Rhoddodd Buddug y tebot i lawr a chydio yn y sinc â'i dwy law i sadio'i hun.

Teimlai Annie'r chwerthin yn ysgwyd holl bwysau ac unigrwydd y siwrne o'i chorff, hwnnw'n cael ei bwnio'n ôl i'w siâp fel clustog fathredig a'i gwaed yn toddi ac yn cynhesu'i bochau. Chwarddodd am ei bod mor hurt, ac am fod yr hyn a welsai o Amlwch yn awgrymu bod y dref – fel hithau – wedi gweld dyddiau gwell. Chwarddodd wrth feddwl am y cychod bach gleision a ddychmygai… Iawn i ti – iawn i ti'r hen jadan goman.

''Dach chi'n iawn, ych dwy?' gofynnodd Twm.

'Berffaith,' meddai Buddug, gan sobri'n sydyn.

'Dan dipyn o deimlad, Twm. Mae rhywun yn bihafio'n rhyfedd ar adegau fel hyn.' Ac aeth Twm o'u golwg, yn barchus a di-ddallt.

'Annie, mae'n ddrwg gen i. Dan deimlad oeddet ti'n lliwio dy wallt…' a bu bron i Annie chwerthin drachefn, gan fod hynny'n swnio mor hurt ac eto mor wir.

'Ia, am wn i. Er dwi'n teimlo weithiau nad ydw i'n ddim ond teimlad ac wn i ddim pa deimlad ydi hwnnw.'

Dywedodd Buddug ei bod hi'n dallt, er bod ei holi'n awgrymu'n wahanol. Sut roedd Frank? A chymerodd Annie arni ei fod o a phopeth cystal â'r disgwyl. Byddai hwnnw wedi agor y llythyr erbyn hyn, meddyliodd, ac yntau fel hithau'n methu gwybod beth i'w wneud na theimlo. Roedd y siarad yn ei lladd hi.

Ystumiodd Buddug yn betrus at gês Annie, 'Fyddi di'n

aros?' A chyn iddi gael cyfle i ymateb, ychwanegodd, 'dwi 'mond yn gofyn am ein bod ni'n gwarchod...'

'Yr hogyn bach?'

Roedd golwg boenus ar Buddug. 'Richie, hogyn Sioned, y fenga. Mae arna i ofn bydd rhaid i ti rannu llofft hefo fo.'

'Dim trafferth, ond wn i ddim be feddylith o.'

Edrychodd Buddug yn dreiddgar arni. 'Mae'n ddrwg gen i a hithau'n amser mor galed arnat ti... Faswn i ddim isio dy ybsetio di.'

Gwawriodd ar Annie beth oedd tu ôl i chwithdod ei chwaer a gwylltiodd. Doedd yna ddim tebygrwydd rhwng Richie a Cyril. Wyddai hi ddim am neb oedd yn debyg i Cyril.

'Os dechreua i feddwl fel 'na, mi fydd hi ar ben arna i, Buddug.'

Ysai am dawelwch gan ei chwaer am seibiant o'i chydymdeimlad a'i hembaras. Byddai'n rhaid iddi adael, ond nid heno, roedd wedi blino gormod.

Fel 'Anti' y cyflwynwyd hi i Richie. Dim enw, ond yn hytrach ryw deitl cyffredinol oedd yn osgoi cydnabod ei bod yn hen fodryb, ond yn cadarnhau ar yr un pryd ei lleoliad diymgeledd ar gyrion y teulu.

Roedd Richie'n beth bach del. Os rywbeth, roedd yn ei hatgoffa o Gwynfor pan oedd hwnnw'r un oed. Ond bod fwy o wawr goch yng ngwallt Richie. Un golau oedd Gwynfor, fel angel a llais fel angel hefyd. Mae pob plentyn fel angel i'w fam, wrth gwrs, ond nid oedd gan Gwynfor fam na thad ychwaith. Byddai pobl mewn oed yn dotio mor ddel ydoedd, a thawel a da. Digon i wneud i Annie ei gasáu a hithau'n hogan ddrwg ac Arthur a Bessie Ty'n Clawdd yn rhieni iddi.

'Safa'n llonydd,' meddai wrtho ar ei ddiwrnod cyntaf yn yr ysgol. 'Paid â symud ne mi wna i dy gripio di. A chyda phin ac India inc, tynnodd linellau duon i lawr rhigolau ei drowsus melfaréd. Yntau newydd golli'i dad a'i fam ac mewn lle diarth. Wedi'i anfon at Lisabeth ac Enoc Owen o bawb yn y byd, y rheiny'n hen a blin, yn ddiamynedd gyda'i gilydd, heb sôn am gael plentyn.

'Ydach chi ddim am ddweud eich pader?' gofynnodd Richie wrth iddi fynd i'w gwely. Yn rêl Gwynfor. Aeth Annie ar ei gliniau, rhoddodd ei dwylo ynghyd a chyfri i ugain yn araf.

'Dwi 'di gofyn i Dduw am eis-crîm i ti.'

'Ydach chi'n cael gofyn am eis-crîm yn ych pader?'

'Tydi rhywun ddim gwaeth na thrïo.'

Cyn mynd i gysgu, dywedodd Richie, 'Dwi'n lecio'ch gwallt chi Anti.'

* * *

Ni ddaeth cwsg mor hawdd i Annie. Dechreuodd bendwmpian ac yna deffrodd gyda'r sicrwydd fod rhywbeth ofnadwy wedi digwydd, ond yn wahanol i freuddwyd cas, cynyddu wnaeth y boen wrth i'w meddwl glirio. Wrth i'r gwirionedd ei llethu, yn fwriadol trodd ei meddyliau'n ôl at Gwynfor a'r tro diwethaf iddi ei weld, yn ei siwt ar lan bedd y Marcwis, yn canu. Fel roedd o wedi newid, yn rhy ffurfiol i fod yn smart ac yn rhy ddifynegiant i fod yn fo'i hun. Ac fel roedd ei lais yn ei drawsnewid a'r sain fel rhywbeth diarth a rhyfeddol yn ymestyn ei adenydd.

Yr un fath ag y byddai'r Marcwis ei hun, yn gwisgo fel glöyn byw, hefo *jewels* yn crynu ar weiars aur cyrliog yn codi o'i ben a pherlau ar ei fynwes. Codai ei freichiau yn araf ac wrth i'r miwsig ddechrau, byddai'n chwifio ei lewys sidan llaes nes eu bod yn disgyn a thonni.

'Be maen nhw'n ddysgu i ti yn y coleg 'na?' gofynnodd Annie i Gwynfor, fel na phetai dysgu'r llais yn ddigon ac fel petai modd iddi hithau ddysgu.

'Sut i anadlu,' meddai Gwynfor ac Eluned a hithau'n glana chwerthin. Cochodd yntau, ond nid o swildod fel o'r blaen.

Doedd dim golwg ohono yng nghynhebrwng Eluned. Dim chwa o'i anadl i godi trawstiau'r eglwys. Ac mi roedd Eluned yn haeddu hynny, yn haeddu gwell na chael hergwd o'r byd, heb ddim i bledio'i hachos ond miniogrwydd Annie.

Dim diben holi Lisabeth Owen nac Enoc, lle roedd ac y bu'n byw. Roedd Enoc wedi marw erbyn hynny a Lisabeth yn yr wyrcws am na wyddai neb beth arall i'w wneud â hi. Heb syniad lle'r oedd Gwynfor, na phwy roedd o. Petai o wedi dod i'w gweld hi'r diwrnod cynt hefo bocs o dda-da a bwnsiad o rosod, fyddai hi ddim callach. Yn groes i'w disgwyliadau a'u gobeithion efallai, fu Gwynfor ddim trafferth i Lisabeth nac Enoc. Prin fyddai o gartref, hefo Eluned drws nesaf roedd o'n byw ac yn bod. Nes i blant yr ysgol ofyn iddo: 'Y ddynes gloff 'na ydi dy fam di?' gan wybod yn iawn ei fod yn amddifad.

Byddai yntau'n achwyn popeth wrth Eluned a honno'n gofyn pwy oedd y gwaethaf ac yntau'n dweud, Annie Ty'n Clawdd. Wedi cael yr wybodaeth aeth Eluned ati i feithrin cyfeillgarwch ag Annie, ac yna rhyngthi hi a Gwynfor. Mor annisgwyl oedd hyn i Annie, nes iddi wyleiddio ac ufuddhau mewn syndod.

'Fasa hyn byth wedi digwydd gydag Eluned *in charge,*' meddai Annie pan gyhoeddwyd y rhyfel. Edrychodd Frank yn syn arni. Augusta oedd yr unig ddynes ag awdurdod ac er bod hwnnw'n haearnaidd, digon cyfyng oedd ei gwmpas.

Ni fu raid i Frank fynd i gwffio, gan fod ei olwg a'i draed allan ohoni, medden nhw. Gyda Cyril yn ddyflwydd ar ddechrau'r rhyfel, bu hyn yn rhyddhad aruthrol i Annie. Ond cywilydd ydoedd i Frank, a deimlai i'r byw y gwarth o fod yn yr un cwch â'r conshis, y gwallgofiaid a'r diffygiol.

'Dim golwg o'r diawl bach, Gwynfor 'na,' meddai Annie ar ôl angladd Eluned. Ac wfftiodd Frank ati:

'Paid â dweud hynna, efallai'i fod o wedi aberthu'i hun dros ei wlad.'

'Mi faswn i'n gwybod hynny bellach, does bosib,' a dechreuodd Annie feddwl. Pwy oedd yna i ddweud wrthi bellach â Lisabeth fel roedd hi? Roedd pawb arall dan ormod o alar, neu ollyngdod, neu'n poeni gormod am y ffliw i ystyried dim arall. Gwynfor druan, efallai nad oedd yntau'n gwybod dim am farwolaeth Eluned, a honno'n well teulu na neb arall iddo. Sylweddolodd mor hawdd oedd colli cyswllt â'r sawl oedd anwylaf. Byddai'n rhaid i Gwynfor gael gwybod.

Ysgrifennodd Frank at yr War Office i holi amdano. 'Mae ganddyn nhw records ar bawb…' a theimlodd Annie'n chwil wrth feddwl am y fath domen o bapur. 'Tydw i ddim yn obeithiol iawn,' meddai ar ôl holi Annie a rhoi stamp ar yr amlen.

Gwyddai Annie mai yn Lerpwl y ganwyd Gwynfor, cofiai'r flwyddyn a'r dyddiad a bu'n byw gyda Lisabeth ac Enoc, wrth gwrs. Yna aeth i goleg yn Llundain i ddysgu canu. 'Pa 'run?' gofynnodd Frank. Dim ymateb. 'Y Guildhall?'

'Ia, dwi'n siŵr mai dyna'r un. O, rwyt ti'n glyfar, Frank!' a rhoddodd yntau duchan bach. 'Ac wedyn, bu'n canu.'

'Ym mhle?'

'Llundain am wn i,' a rhoddodd Frank ei fountain pen i lawr a rhwbiodd ei dalcen.

'Os baset ti'n mynd â fi i Lundain o bryd i'w gilydd, mi fasa gen i well syniad, yn basa?'

Ac yna cofiodd i Gwynfor wneud record gramoffon. Soniodd Eluned amdani rywbryd, er nad oedd golwg ohoni ymysg ei heiddo yn nhŷ Mrs Stanley. 'Rhwbath Italian oedd o, dwi'n cofio cael postcard gan Eluned – His Master's Voice.'

Nododd Frank hyn yn ei lythyr, gan ddweud, 'byddai Rank a Regiment yn fwy o ddefnydd i fois y War Office.'

Bu'n fisoedd cyn daeth ymateb. Roedd Captain Gwynfor Ellis mewn cartref nyrsio yn Hampshire.

'Wel, ffansi'r hen Gwynfor yn gapten,' meddai Annie ac aeth ati i ysgrifennu gair ato. Tybiodd y byddai eisiau mymryn o ddifyrrwch ac yntau'n sâl ac felly ni soniodd am farwolaeth Eluned tan ddiwedd y llythyr, gan ddweud i gloi mor neis fyddai iddyn nhw ill dau fynd draw i roi blodau ar y bedd ar ôl iddo wella.

Metron y cartref atebodd y llythyr yn Saesneg. Dywedodd fod Captain Ellis yn gwerthfawrogi ei hymholiad, ond na fyddai'n bosib iddo ymateb ymhellach ac na fyddai'n addas iddyn nhw gyfarfod. 'He wishes happiness and prosperity to you and your family, particularly young Cyril.'

Llethwyd Annie gan dôn swta'r llythyr. Ac er iddi geisio'i hel o'i meddwl drwy resymu mai hen drwyn fu Gwynfor erioed, roedd rhywbeth yn ei phoeni, rhyw deimlad nad oedd y Metron wedi rhoi'r stori'n llawn iddi. Craffodd ar y llofnod ar waelod llith y teipiadur, hwnnw'n llifo'n sgribl bach rhyfedd at y diwedd. Gallasai fod yn gusan, ond efallai ddim.

'Be ti'n feddwl o hwn?' rhoddodd y llythyr i Frank ac wedi iddo'i ddarllen, tynnodd ei sbectol.

Edrychai Frank yn fregus heb ei sbectol, y cnawd o gwmpas ei lygaid yn binc a phwfflyd. 'Ella os sgwenna i ato fo eto, pan fydd o'n well?'

'Efallai,' meddai Frank, 'nad oes gwella ar Gwynfor. Mae rhyfela'n beth brwnt; bryntach nag erioed o'r blaen. Mae'n gallu chwalu dynion, yn feddyliol ac yn gorfforol. Dyn a ŵyr pa golledion fu ar wahân i'r sawl a laddwyd...'

Caeodd rhywbeth yn glep ym meddwl Annie ac ni fynnai ei agor byth.

'Byddai colli'i lais yn ddigon.'

Ac wedi hynny, dychmygai Annie Gwynfor yn eistedd mewn gardd yn Lloegr, gyda blanced dros ei lin i'w gadw'n gynnes. Yn lân a thlws yn ei iwnifform ac yn gwbl fud.

* * *

Fore trannoeth, cynigiodd Annie fynd â Richie i'r ysgol. Doedd ddim rhaid, byddai'n arfer mynd ar ei ben ei hun a doedd dim peryg i hogyn fel Richie chwarae triwant. Ond, mi roedd Annie'n benderfynol.

'Gei di ddangos dipyn o'r dre i mi a byddai'n neis cael mymryn o awyr iach.' Yna ychwanegodd, 'paid â thrafferthu gwneud cinio i mi, Buddug.'

'Rŵan, 'ta,' meddai wrth Richie ar ben y stryd, 'beth am yr eis-crîm 'na?'

'Dwi newydd gael uwd, Anti...' Ac er i Annie ganmol

bendithion hufen iâ yn syth ar ôl brecwast, roedd Richie mor gyndyn nes iddi orfod bodloni ar brynu chwarter o dda-da iddo.

Wedi ffarwelio â Richie tu allan i giatiau'r ysgol aeth i gaffi'r Avondale am botied o de a gan nad oedd Richie am hufen iâ, cymerodd un ei hun, lwmpyn rhewllyd mewn powlen wydr fel blodyn. Bu yno am yn agos i ddwy awr a thoddodd yr hufen iâ. Cyn gadael, gofynnodd am y ffordd i lan y môr.

Ymhen ugain munud, daeth at sgwâr o dai a harbwr bach cul. Dringodd lethr gwelltog ac yno gorweddodd ar ei hyd, ei phwrs dros ei mynwes, yn edrych ar y cymylau. Ni wyddai am ba hyd: digon i atgoffa'i hun nad oedd hi'n neb, ac nad oedd synnwyr i ddim.

'Dach chi'n iawn, Missis?'

Agorodd ei llygaid. Roedd hen fachgen yn plygu drosti. Cododd ar ei heistedd a dywedodd yn sych, 'Ydw, perffaith.'

'Argoledig, ro'n i'n meddwl eich bod chi 'di marw.'

'Ddim eto...' a chyda gymaint o urddas ag y gallai ymgasglu, cododd ac aeth i lawr y llethr yn ei sodlau sigledig gwirion.

Roedd tafarn ar y sgwâr, yr Adelphi Vaults, yr enw'n ymweddu ag adeilad mor gydffurf a thlws. Ysai am fynd i mewn. Ni fu Annie erioed mewn tafarn ar ei phen ei hun o'r blaen. Byddai'n mynd i'r Castle gyda Frank pob Nadolig i swper y Clwb Golff. A chyn bwyta, byddai Frank yn cael sieri a hithau *gin* a Ffrensh. Un ddiod fach yn glustog rhag y jôcs gwael a'r gwragedd pig yn eu ffrogiau diolwg.

Pan oedd hi'n hogan, byddai'n mynd gyda John ei brawd i nôl eu tad o'r dafarn. John a hithau'n ceisio sadio'u tad yn amlach na pheidio. A Bessie Robaits yn rhuthro i ben catsh wedyn am ei fod yn canu. Dim ond canu a baglu, yr hen greadur. Ysai Annie am gael canu drachefn.

Ond camgymeriad oedd camu i'r Adelphi ar ganol dydd cysglyd. Tawelodd murmur yr hanner dwsin oedd yno a rhythodd pawb arni. Daeth Greta Garbo i'w meddwl, ei brasgam llesg a'i llais dieithr, dioglyd: Give me a whisky, ginger ale on the side and don't be stingy, baby...

'Wel?' taranodd y tafarnwr boliog. Yn ddigon cyfeillgar, er nad dyna ddehongliad Annie. Roedd hi wrth y bar erbyn hyn, yn cydio yn ei phwrs o'i blaen gyda'i dwy law, fel petai'n barod i amddiffyn ei hun gyda phwniad aneffeithiol. Ni allai yn ei byw ofyn am ddiod bellach ac felly, gofynnodd;

'Ydach chi'n chwilio am staff?'

'Be gebyst fasa ni'n wneud hefo dynes smart fath â chi mewn lle fel 'ma?'

A chwarddodd pawb. Cythrodd Annie o'r dafarn, yn chwil o gywilydd. Melltithiodd y dref am ei gwawdio a gwahardd ei holl ymdrechion i ddiflannu a mynd yn angof.

Aeth yn ôl i'r Avondale a gofyn am botied arall o de a bynsen gyreints. Ni allai barhau gyda'i bywyd mewn cês a mop o wallt aflafar yn gaead ar feddwl oedd yn rhaflo.

'Dach chi ddim yn digwydd bod yn chwilio am staff?' gofynnodd i'r weinyddes.

'Na,' meddai honno, 'ond, mae isio tenant i'r fflat i fyny'r grisiau.'

'Diolch,' meddai Annie ac wedi ymgeleddu ei hun yn nrych brychiog tŷ bach yr Avondale aeth ati i chwilio am rywle fyddai'n gwybod beth i'w wneud â dynes smart, yr un fath â hi.

Oedodd o flaen ffenestr Manchester House oedd yn llawn o sanau llipa a thorsoau seliwloid yn arddangos y diweddaraf y gallai Amlwch eu cynnig mewn tronsiau a staesys. Hen sioe druenus, meddyliodd Annie, yn dangos beth roedd pawb yn ei wisgo nesaf at eu crwyn, heb fymryn o ddirgelwch na chynnwrf. Pob dilledyn yn stryffâg i'w wisgo ac o'i dynnu'n datgelu dim ond siom.

'Ydach chi'n chwilio am staff? Mae gen i brofiad helaeth o werthu *ladies' garments* ac mae gen i *references* da.' Sylweddolodd ei bod yn brolio ei hun i fachgen ifanc di-glem. 'Ydi'r bos o gwmpas?'

Daeth y perchennog o'r cefn a syllodd honno arni'n fwy beirniadol na'r bachgen.

'Dim i'w gynnig i chwi, mae arna i ofn, Mrs...?'

'Roberts,' meddai Annie, gan synnu mor hawdd oedd anghofio'r Lewis ar ôl yr holl flynyddoedd. Penderfynodd mai Roberts y byddai hi o hyn ymlaen.

'Efallai byddai'n werth i chwi holi yn y Golden Eagle.'

Cofiodd am Eluned yn brodio eryr aur â'i adenydd ar led ar ddwbled i Henry Cyril Paget, i'w wisgo gyda'i benwisg o ddwy adain yn ymagor bob ochr i'w ben, â'r haul yn codi uwchben ei dalcen.

'Eeeryyyr...' meddai yntau'n ymestyn ei lafariaid yn fawreddog ac anghymreigaidd.

'Îgl, ' meddai Eluned yn ei Saesneg swta.

'Mae'n well gen i eryr,' a rhoddodd y grysbais frodiog a'r benwisg aur amdano, gan agor ei freichiau, fel petai am hedfan.

Eluned yn dweud wrthi'n ddistaw bach wedyn, 'Pan oeddwn i'n hogan fach a Henry Cyril yn fabi, roeddwn i'n credu ei fod o'n gallu fflïo.'

'Mona Street,' meddai perchennog Manchester House. 'I'r dde, croeswch y lôn, tua chanllath i fyny'r allt.'

Tynnodd Annie ei het i lawr dros ei chlustiau i guddio'i gwallt. Roedd yn awyddus i wneud argraff ffafriol yn y Golden Eagle. Roedd hi'n daer am waith erbyn hynny a theimlai fod yr enw'n arwydd o sêl bendith ei chyfeillion ymadawedig. Daeth i wybod yn ddiweddarach mai'r Afr Aur oedd enw cyffredin y siop. Oherwydd y cyswllt ag Eluned a'r Marcwis, mynnai Annie ar y Golden Eagle.

Roedd Miss Pritchard y Golden Eagle yn gwerthfawrogi cyt a graen côt Annie ac yn dotio at sut roedd wedi clymu a gosod ei sgarff. Disodlai'r argraff gyntaf hon unrhyw amheuaeth oedd ganddi fod het Annie wedi'i gwthio braidd yn isel ar ei phen. Tybiodd yn syml mai dyna'r ffasiwn ddiweddaraf.

'Wartski's,' meddai'n barchus. 'mae'n siŵr eich bod chi'n nabod Miss Megan Jones felly?'

'Ydw,' meddai Annie,' dwi'n nabod Megan yn iawn.' Gresynodd na allai gydnabod hyn gyda mwy o frwdfrydedd. Ond, unwaith eto, gweithiodd hyn o'i phlaid, gan fod Miss Pritchard yn gwsmer achlysurol i Mr Wartski ac yn ddigon cyfarwydd â Megan i wybod sut un oedd hi.

Os ydach chi am *reference*, mae'n debyg mai holi Mr Isidore Wartski fyddai orau.'

'Mr Wartski, ia siŵr iawn, Miss Roberts.'

Ac Annie'n teimlo'n wirion o ifanc o gael ei galw'n Miss Roberts unwaith eto.

'Dwi'n priodi o fewn y mis,' meddai Miss Pritchard. 'Felly, bydd angen rhywun i gymryd fy lle fi. Mi alla i roi gair da drosoch chi i Mr a Mrs Owen.'

Doedd dim stop ar Annie erbyn hynny:

'Dwi'n gallu gwneud *alterations* hefyd,' meddai.

'Ydach chi wir? Efallai gallwch dynnu fy ffrog briodas i mewn ychydig, felly? Dwi 'di colli pwysau'n ofnadwy'r wythnosa dwytha 'ma.'

'Hen amser pryderus,' meddai Annie gyda chydymdeimlad.

Roedd gan Annie bum punt yn ei phwrs ac ni wyddai a fyddai hynny'n ddigon iddi. Roedd ei phen yn llawn o syms wrth ddychwelyd i dŷ ei chwaer. Cyn iddi gnocio, roedd honno wedi agor y drws.

'Ddeudes ti'r un gair.'

'Am be, dŵad?' a daeth Frank i'r golwg.

Aeth y tri i'r parlwr a thynnodd Annie ei het.

'Be wnes di i dy wallt?' gofynnodd Frank.

Anwybyddodd Annie ei gwestiwn. 'Ddo i ddim yn ôl i Fangor hefo chdi, os nad oes gwahaniaeth gen ti Frank.'

A dechreuodd Frank ymbil arni mor druenus nes i Buddug encilio'n dawel o'r parlwr.

'Wnei di byth fadda i mi? Roeddwn i'n frwnt yn dweud beth wnes i, ond mi roeddwn i dan deimlad. Mi wyddost ti'n iawn beth ydi bod dan deimlad. Doedd yna ddim mymryn o fai ar yr un ohonon ni...'

Sylweddolodd Annie fod ymddiheuriad Frank yn caniatáu lle iddi wingo'n rhydd drachefn. Gyda phob teimlad yn gelain, esboniodd ei bod yn deall ac efallai y gallai faddau hefyd iddo rywbryd;

'Ond fydd petha byth 'run fath,' meddai, 'Gwell i ni gofio'r amseroedd da.'

Daeth pytiau o sgyrsiau pobl eraill, pethau roedd wedi'u darllen, neu eu gweld ar y sgrin, o'i cheg yn rhugl. Benthycodd resymau heb eu cysylltu â'i gwirionedd na'i theimladau. Ni wyddai'r un gwirionedd bellach beth bynnag ac ni allai enwi ei theimladau.

'Tyrd yn ôl Annie fach. Nid heno, efalla, ond tyrd yn ôl – pan fyddi di'n teimlo'n well. Ac mi wnei di deimlo'n well.'

Aeth Frank i'w waled a rhoddodd ddyrniad o bres papur ar y silff ben tân. 'Mi wna i agor cownt banc i ti hefyd. Bydd hynny'n help, tan i ti ddod yn ôl i Fangor.'

'Frank?' Syllodd yn eiddgar arni. 'Wnei di anfon fy injan wnïo ymlaen ata i?'

Wedi cau'r drws ar ei ôl, roedd Buddug yn ei hwynebu yn y lobi.

'Ti 'di gwneud dy wely rŵan,' meddai a theimlai Annie fod Bessie Robaits wedi dod yn ôl i'w herio.

4

Symudodd Annie i'r fflat uwchben yr Avondale. Rhoddodd bres Frank o dan y fatres, albwm Eluned ar y gwely a'r botel sent ar y bwrdd glàs. Hongiai ei dillad y tu allan i'r wardrob, gan fod ynddi aroglau annymunol ac anghyfarwydd. Eisteddodd ar y gadair freichiau ac aros ynddi tan iddi glywed gweinyddes y caffi yn gadael am chwarter i chwech.

Yna bloeddiodd nes teimlo Cyril yn treiddio drwyddi, fel petai'n rhoi genedigaeth iddo drachefn. Ac yn y tawelwch wedyn, ni synhwyrai ddim ond ei absenoldeb. Bloeddiodd drachefn a thrachefn nes gwisgo'i llais yn ddim, ac wrth i'r bloeddiadau wanhau, tybiodd mai dyna fel y byddai byth bythoedd. Ceisiodd feddwl beth fyddai Cyril yn ei feddwl ohoni a hithau wedi colli pob adnabod a rheolaeth arni hi ei hun a gwyddai'r un pryd nad oedd hynny nac yma nac acw bellach.

Am hanner awr wedi wyth y bore wedyn clywodd y gloch uwchben drws y caffi'n canu a rhoddodd slempen o ddŵr oer i'w hwyneb. Roedd ei chroen yn amrwd a ffyrnig. Ni allai wynebu neb â'r fath olwg arni a chysurodd ei hun fod cymaint â hynny o hunan-barch yn weddill. Gydag ochenaid a gwich, gorweddodd ar ei gwely, y fatres a hithau mor flinedig â'i gilydd.

Agorodd albwm Eluned a dechrau ei ddarllen o'r cefn. Roedd ei gynnwys hyd at farwolaeth y Marcwis yn gyfarwydd iddi ac ni allai stumogi cael ei gwawdio gan atgofion braf.

Disgynnodd toriad papur newydd o'i dudalennau:

'Miss Rosa Dryden is escorted to Ascot by promising young tenor, Gwynfor Ellis.'

Roedd enw'r ferch yn gyfarwydd a chyn dlysed â hithau. Rosa Dryden; blagurai a gwywai dros bedair sill. Actores, cofiodd Annie, er nad oedd sôn amdani bellach. Tynnwyd y llun dros bum mlynedd ar hugain yn gynharach, cyn y rhyfel. Lle bynnag y bo hi bellach, gwyddai Annie na fyddai Rosa Dryden yn ymweld â Gwynfor ychwaith. Gwisgai Gwynfor gôt din fain a het galed.

'Fy mhlentyn tlws,' meddai Henry Cyril wrtho cyn iddo adael am Lundain. 'Daw dy degwch â llu o edmygwyr '

Dychmygodd Annie Gwynfor mewn tai bonheddig, yng nghwmni dugesau ac iarllesau a'r rheiny'n union fel gwragedd Ysgol Sul Llanedwen ers talwm, yn ymgreinio ac yn rhyfeddu at ei degwch a'i ddaioni. Efallai eu bod yn rhoi casys sigarét aur iddo ac yn mynd â fo at deilwried eu gwŷr. Ac efallai, meddyliodd Annie, ei bod hithau'n gwylio gormod o bictiwrs ac yn darllen gormod o sothach.

Roedd lluniau diweddaraf yr albwm yn cadarnhau nad oedd neb wedi mynd â bryd Eluned i'r un graddau â Henry Cyril Paget: doedd neb mor dlws, neb a dynnai lun cystal. Chwipiodd drwy luniau'r arwisgo yng Nghaernarfon, Lloyd George a'i deulu. Edrychai pawb a phopeth mor sobor a chyffredin o'u cymharu â'r Marcwis: ei wisgoedd a'i *jewels* a'i gyfoeth hurt.

Yna, gwelodd wyneb cyfarwydd:

Miss Pansy Bassett as Prince Charming.

Miss Bassett annwyl, mewn het dair congl fach, gyda phluen yn cyrlio dros un ochr ei hwyneb. Clôs pen-glin sidan tyn a sodlau bach gwynion fel sêt tŷ bach. Yn llond ei chroen – roedd Pansy'n sglaffiwr heb ei hail – ond ei chanol a'i fferau mor fain a chain. Corff bach cywrain crwn wedi'i borthi ar siocledi o focsys tlws gyda rhubanau sidan.

'Annwyl Eluned,' dywedai'r neges ar gefn y cerdyn, 'Principal Boy in Birmingham. Keeps the wolf from my door. Dal dim gentleman, colli chi i gyd, Cariad Mawr, Pansy xx'

Pansy druan, mor afradlon ei serchiadau a dim agosach at fachu bonheddwr fyddai'n caniatáu iddi halffio siocledi drwy'r dydd. Byddai'n ymbil ar Eluned i holi Henry Cyril sut i fynd o'i chwmpas hi, ond nid oedd ganddo air o gyngor, gan ei fod mor annodweddiadol o'i ddosbarth a'i ryw. I geisio gwneud yn iawn am hyn anfonai siocledi'n wythnosol iddi, rhai ohonynt wedi'u gorchuddio mewn lêff aur. Criai Pansy'n llifogydd o'u derbyn, gan ddweud, '*that's what I call a real gentleman*.'

Fel popeth tlws arall a ddenwyd i Lanedwen yr adeg hynny, Henry Cyril Paget oedd yn gyfrifol am ddod â Pansy Bassett i'r plwyf. Cyrhaeddodd ar drên, ymhlith actorion a chantorion eraill – myrdd o ddiddanwyr. Pob un ohonynt wedi'u cipio o Landudno ar fympwy'r Marcwis yn un swydd er mwyn dod â phleser.

Roedd Lillian Florence, ei wraig – Mrs Marcwis, chwedl Eluned – wedi gadael, neu ar fin gadael erbyn hynny. Ond digon o waith byddai ganddi unrhyw genfigen tuag at Miss Bassett. Yn ôl pob sôn, unig ddiléit ei gŵr mewn perthynas â merched noethion oedd hongian *jewels* arnynt.

Wfftiai Lillian ato ac mae'n debyg iddi ddod i'r casgliad mai gwell fyddai iddo gyboli gyda rhywun o ddosbarth is. Hyd y gwyddai Annie, ni osododd Henry Cyril yr un *jewel* ar gnawd Miss Bassett, er na fyddai gwahaniaeth yn y byd gan honno, yn enwedig os câi eu cadw wedyn.

Meibion a gweision ffermydd a wirionai fwyaf ar Miss Bassett. Byddent yn baglu dros ei gilydd i hel y gwartheg o'i ffordd wrth iddi fynd am dro drwy'r caeau. Roedd arni ofn gwartheg ac ystyriwyd hyn yn beth annwyl iawn gan yr hogiau. Deuent ag wyau a chig moch yn frecwast iddi a blodau'r meysydd i'w rhoi ar ei bwrdd glàs. Daeth Wil Bwlch â llaeth mul mewn bwced ar ôl clywed bod ganddi awydd ymdrochi ynddo, fel Cleopatra gynt. Chwarae teg i Pansy, diolchodd i Wil a gan nad oedd digon ohono iddi wlychu ei thin, ymolchodd ei hwyneb ynddo, tan iddo ddechrau suro.

Meddyliodd Annie beth fu hanes Pansy Bassett yn y blynyddoedd ar ôl gadael Birmingham. Tybed a ostyngodd ei gorwelion wrth chwilio am ŵr? Ar noson ddigysur yn Lerpwl neu Fanceinion, tybed a gafodd wahoddiad i swper gan ryw dordyn o fasnachwr a chanddo garnasiwns pinc? A tybed a feddyliodd ei bod yn bryd iddi roi'r ffidil yn y to; tawelu, ymgartrefu...

Yntau, a oedd hi'r funud honno yn paratoi ar gyfer matinée ar un o lwyfannau'r taleithiau? Y defnydd yn troi'n gynyddol gomig a chwrs wrth i amser bylu ar gyfaredd y theatr a'i harddwch. Byddai'n rhy nobl i'r pictiwrs ac yn llawer rhy hen bellach, beth bynnag.

Ond yn ei dydd, doedd neb tebyg i Pansy Bassett ac ni welwyd ei bath na chynt na chwedyn yn Llanedwen, yn un cwmwl o ffrils, sent a phowdr. Digon tebyg i'r Marcwis, ond mai dynes oedd hi. Ffynnai hithau ar yr holl sylw, gan ymestyn pob nodyn ac ystum hyd eithaf ei gallu er mwyn swyno'i chynulleidfa wladaidd. Ni allai'r rheiny gynnig fawr o ddim yn ôl iddi, dim byd gwell nag ambell fwnsiad o flodau gwyllt ac addewid na fyddent byth yn ei hanghofio.

Y llun olaf i Annie edych arno'r diwrnod hwnnw oedd un o fedd y Marcwis ym mynwent Llanedwen. Roedd Eluned wedi ysgrifennu 'Ei orffwysfa olaf' arno. Be gebyst, meddyliodd Annie, oedd diben cadw llun o fedd? Parchu ei gof, efallai, ond, fel Miss Bassett yn ei dydd amhosibl fyddai i neb ei anghofio. A doedd bedd mo'r lle iddo, fwy nag oedd hi'n weddus gosod croes drom i bwyso ar ei fynwes fregus. Mae'n debyg y byddai Eluned druan yn teimlo pwysau'r groes bob tro yr edrychai arno a'r tebygrwydd yw mai dyna bwrpas y llun, i'w hatgoffa na ddeuai o byth yn ôl ac na fyddai llewyrch ar ddim byth eto.

Caeodd Annie'r llyfr. Ysai am amser gwell, ryw ddyfodol na allai ei ddychmygu.

'Dwyt ti ddim isio bod fath â fi…' meddai Eluned wrthi un tro. A methodd Annie weld unrhyw wirionedd yn hynny, er mai cadw'n dawel oedd ei hymateb.

Daeth cnoc ar y drws ac am eiliad penwan, tybiai Annie fod rhywbeth tyngedfennol ar fin digwydd.

Twm oedd yno, gyda'r injan wnïo.

'Sut mae Buddug erbyn hyn?' mentrodd Annie.

'Wedi pwdu.'

'Hefo mi, mae'n siŵr, er wn i ddim be dwi 'di neud iddi.'

'Dim, cyn belled ag y gwela inna chwaith. Roedd hi'n sgothi rwbath am ddifôrs yn y teulu.'

'Twll 'i thin hi,' meddai Annie.

Syllodd Twm yn syn arni am eiliad ac yna chwarddodd. 'Ia, twll 'i thin hi. Dwi wedi'i ddeud o. Twll 'i thin hi – ha, ha!' Ac wedi gwrthod paned aeth yn ôl at Buddug, yn teimlo fel hogyn unwaith eto.

Doedd Annie erioed wedi ystyried ysgariad. Doedd ganddi'r un sail, gan fod Frank yn ŵr rhagorol a hithau'n wraig ffyddlon. Âi i'r pictiwrs ambell dro gyda Meic o'r siop trin gwallt a wirionai ar Norma Shearer. Gwyddai Frank hynny, ond pa beryg i unrhyw ferch, gan gynnwys Norma Shearer hyd yn oed, fyddai mynd i'r pictiwrs gyda Monsieur Michel? Waeth iddi heb na phrotestio, fe'i dyfarnwyd yn bechadurus yn ei chyfiawnder a'i galar. Fe'i grymuswyd i ddweud drachefn ac yn uchel, 'twll 'i hen din hi!'

Gyda'r peiriant gwnïo'n ôl yn ei meddiant, gallai Annie alw yn y Golden Eagle drachefn er mwyn altro ffrog briodas Miss Pritchard.

Bu Miss Pritchard cystal â'i gair ac yn fwy trylwyr na'r disgwyl.

'Dwi wedi derbyn *reference* i chwi, gan Mr Isodore Wartski ei hun ac mae o'n dymuno'n dda i chwi!'

'Chwarae teg iddo,' a bu bron i Annie â chrïo, yr hen hulpan iddi.

Gyda'r swydd yn saff, mentrodd sôn am y ffrog briodas a daeth golwg boenus ar Miss Pritchard.

'Mi gewch chi job, Miss Roberts... Mi wnes ei thrïo amdanaf echnos ac mi roedd golwg ofnadwy arna i ynddi.'

'Twt lol, mi fasa hogan ifanc ddel fath â chi'n edrych yn ddigon o ryfeddod mewn sach flawd.'

'Dwi isio edrych yn sbesial, Miss Roberts!'

A thyngodd Annie y byddai, doed a ddelo.

Fe'i gwahoddwyd i dŷ Miss Pritchard a'i theulu am ffiting. Un sych oedd Mrs Pritchard, ond ni allai Mr Pritchard wneud digon iddi.

'Tamaid arall o deisen, Miss Roberts?'

'Fi ddyla fyta mwy o deisen, Tada,' meddai Miss Pritchard ac o'i gweld yn ei ffrog briodas, bu'n rhaid i Annie gytuno â hi'n ddistaw bach.

'Sgwydda potel sos, fath â finna,' meddai Mrs Pritchard yn fachog. Edrychai'r sidan fel petai am lithro oddi ar ei ffrâm eiddil. Aeth Annie ati hefo'i phinnau a'i thâp mesur. Hyd yn oed o gael y ffrog i ffitio, gwyddai na fyddai byth yn gweddu iddi.

Cymerodd gam yn ôl a chan blygu ei phen ar un ochr, dywedodd yn awdurdodol, '*Letty Linton*.'

'Pwy?'

'Joan Crawford yn y ffilm, *Letty Linton*.'

'Dwi'n lecio Joan Crawford,' meddai Miss Pritchard a gwgodd ei mam.

'Ffrils dach chi isio, o gwmpas y sgwydda a'r gwddw. *Organdy* a digon ohono fo.'

'Beryg i ti edrach fath â chabatsien hefo wyneb,' meddai Mrs Pritchard yn sur.

'Mi allwn 'i thynnu i mewn a'i gadael hi ar hynna.'

'Na, dach chi'n iawn, Miss Roberts,' meddai Miss Pritchard, 'dwi isio ffrils. A bydd angen defnydd – dyma chi bres – fydd o'n ddigon, deudwch?'

Gwelodd Annie fod Mrs Pritchard yn edrych fel sarffes arni.

'Mi ga i ddefnydd a wna i ddim codi ceiniog os na fyddwch chi'n gwbl hapus.'

'Gobeithio dy fod ti'n gwybod be ti'n neud,' meddai Mrs Pritchard ar ôl i Annie adael gyda'r ffrog briodas dan ei chesail. 'Tydi honna ddim llawn llathen, ddeudwn i. Welais ti'r golwg oedd ar 'i gwallt hi?'

'*Platinum blonde*, Mam – smart iawn.'

'Ia, taw, Marged. Hogan smart iawn ddeudwn inna hefyd,' meddai Mr Pritchard.

'Na,' meddai Mrs Evans Manchester House, pan ofynnodd Annie am sawl llathen o'r *organdy* gorau. 'Does dim galw am beth fel 'na yma.' Y peth agosaf oedd ganddi oedd defnydd cyrtens net. 'Dyma'r voile gorau sydd gynnon ni,' fel pe tasai hwnnw'n rhy dda i Annie. Petrusodd hithau.

'Oes gennych chi drimins – les go lydan?'

'Brussels lace,' meddai Mrs Evans, gan daro rholyn ar y cownter.

Mi wnâi'r tro. Dyna un wers a ddysgodd Annie gan Eluned, mai dychymyg yn hytrach nag arian oedd ei angen os am greu effaith. Nid bod hynna'n ystyriaeth i Henry Cyril Paget. Mynnu'r gorau a'r drutaf a wnâi o bob amser ac fel rheol, deuai'r gorau a'r drutaf o Baris.

* * *

Bu gaeaf cyntaf yr ugeinfed ganrif yn un neilltuol o oer yn Llanedwen ac anfonodd y Marcwis ei ynau llofft yn ôl at Chavret ym Mharis i'w leinio â ffŷr. Ni allai Eluned oddef meddwl amdano'n rhynnu yn y cyfamser a hawliodd un o'r gynnau er mwyn gosod leinin o wlanen goch ynddi. Roedd Henry Cyril wrth ei fodd gan y bu hi'n wythnosau cyn i'r parsel ddychwelyd o weithdy M Charvret ac erbyn hynny roedd y tywydd wedi cynhesu ac yn bryd meddwl am ynau llofft y tymor canlynol.

Gallai Eluned weithio gwyrthiau allan o ddim ac er nad oedd Annie ar ei hôl hi o safbwynt dychymyg, gwyddai hefyd nad oedd mor fedrus ag Eluned. Tynnodd y peiriant gwnïo o'i focs a sylwi fod Frank wedi amgáu llythyr iddi; 'Fy annwyl Annie' ar yr amlen.

Gei di witsiad, meddyliodd hithau a'i osod ar ben y jestar drôr.

Roedd bwrdd y gegin yn rhy gul a thila i'r peiriant, ond aeth Annie ati drwy osod y defnydd ar y llawr a'i dorri'n stribedi hirion. Wedi clywed y gloch yn canu dros ddrws y caffi am y tro olaf y diwrnod hynny aeth Annie â'r peiriant i lawr y grisiau, ei osod ar un o fyrddau'r Avondale a dechreuodd weithio. Wrth i'r golau y tu allan ddechrau pylu, taniodd gannwyll a gweithio tan oriau mân y bore. Am hanner awr wedi unarddeg, gwelodd feddwyn yn syllu arni y tu allan i'r ffenest a thynnodd ei thafod arno. 'Welaist ti rioed ddynes barchus yn trio ennill ei thamaid o'r blaen, y diawl?'

Bu wrthi am dridiau, yn pinio, crychu, brasbwytho a cheisio penderfynu faint o ffrils a sut i'w gosod ar y ffrog. Lluniodd ddwy lawes fach ar eu cyfer yn y diwedd. Fe'i meddiannwyd gan y gwaith a bu'r ymdrech yn fendithiol o safbwynt y canlyniad a'i hysbryd. Ar y drydedd noson, rhoddodd un tro olaf i olwyn y peiriant a rhoi ebychiad o ryddhad.

Fore trannoeth, deffrodd i weld ffrog briodas Madge Pritchard yn hongian ar ddrws ei wardrob. Llamodd ei chalon am foment fach, a rhwng cwsg ac effro, tybiodd mai Sinderela oedd hi, gyda'i gwisg hud yn barod i'w gwisgo ar gyfer ei hachlysur tyngedfennol. Ni fu cofio ei chyflwr, ei hoed, na phwrpas y ffrog yn ddigon i'w llethu'n llwyr. Bu'r eiliad hwnnw o gredu drachefn mewn tylwyth teg yn ddigon i'w hargyhoeddi ei bod wedi gwireddu breuddwydion Miss Pritchard.

Flynyddoedd lawer yn ddiweddarach aeth Madge (Pritchard gynt) i'r atig i nôl ei ffrog briodas ar gyfer ei hwyres. Roedd honno wedi gwirioni ar yr hen luniau priodas ac ysai am yr un rhamant hen ffasiwn ar gyfer ei diwrnod hithau. Agorodd Madge y bocs a thynnu'r papur sidan. Doedd y ffrog ddim gwaeth, ond mi roedd y ffrils wedi datod yn rhubanau a fyddai neb am ei gwisgo heb y rheiny. Chwarddodd Madge. Gwell o lawer i'r hogan gael ffrog newydd beth bynnag.

'Dwi ar goll hebddo ti Annie,' meddai Frank yn ei lythyr ac ystyriodd Annie ei hymateb.

'Annwyl Frank,' dechreuodd, ''dan ni i gyd ar goll yn yr hen fyd 'ma.' Darllenodd y geiriau, crensiodd y llythyr yn ei dwrn a'i daflu.

Roedd Frank wedi anfon manylion y cownt banc a agorodd iddi. Byddai'n rhaid iddi ddiolch rywbryd a dweud nad oedd rhaid iddo, gan ei bod ar fin dechrau gweithio. Byddai hynny'n medru ei chadw. Gwnâi hynny yfory neu drennydd.

Agorodd albwm Eluned drachefn, gan ddechrau o'r dechrau y tro hwn.

5

NID OEDD ARTHUR na Bessie Robaits yn bobl capel, nac eglwys ychwaith. Ond serch hynny câi plant Ty'n Clawdd eu hanfon i'r Ysgol Sul yn ddi-ffael, gan ei fod yn gyfle i'w hel o dan draed gyda chydwybod glir. Yn yr un modd ag Annie, byddai Gwynfor yno hefyd i ganiatáu ychydig oriau o gecru diddan i Lisabeth ac Enoc.

Ar ddiwedd yr Ysgol Sul, byddai'r plant yn gwneud eu ffyrdd adref, gan ddarganfod pob math o ymyraethau i'w diddanu ar y ffordd. Pawb ond Gwynfor. Bob Sul, byddai Eluned yn aros amdano wrth giât y capel. Yr oll y gwyddai Annie amdani, bryd hynny, oedd yr hyn a glywsai gan Bessie Robaits.

'Yr hen gorc wadan 'na wrthi eto'n crafu.'

Roedd Bessie ac Eluned yn gweithio gyda'i gilydd yn londri'r Plas ac mi fyddai gofal a medrusrwydd Eluned gyda starts a'r haearn yn mynd dan groen Bessie. Doedd dim rhaid iddi hi drochi'i breichiau mewn dŵr oedd yn sgaldio, na sgwrio nes byddai ei migyrnau'n gignoeth. Byddai morwynion y Plas i gyd yn gofyn yn un swydd i Eluned smwddio eu barclodiau a'u coleri a genod y plwyf yn rhoi eu blowsys iddi i'w sbriwtio ar gyfer achlysuron arbennig.

'Dyna wast,' cwynai Bessie, pan fyddai Eluned yn

derbyn anrhegion am ei gwaith. 'Tydi hen ferch wirion fel 'na fawr o isio dim.'

Un Sul, daeth Eluned at Annie wrth ddrws y capel.

'Annie Ty'n Clawdd ydach chi, ynte? Fasech chi'n lecio dod am de bach hefo Gwynfor a finna?'

Tybiodd Annie y byddai te bach yn cynnwys brechdan a theisen a chytunodd ar unwaith, er nad oedd ganddi fawr o feddwl o Eluned na Gwynfor.

'Be sy haru ti, hogan? llyngyran ne rwbath?' gofynnodd Bob Wmffras, wrth i Annie gladdu tair tafell o fara brith, un ar ôl y llall.

'Tewch, Tada – mi dorra i fwy. Bytwch chi, Annie a pheidiwch â chymryd sylw ohono fo.'

Roedd Annie ar y bedwaredd tamaid cyn sylweddoli nad oedd rhaid iddi frysio a dechreuodd dybio fod yno lawer gwell lle na Ty'n Clawdd. Syllodd Gwynfor arni a phan roedd Eluned yn clirio'r bwrdd a Bob yn pendwmpian, tynnodd ei thafod arno.

'Capten llong yn Lerpwl oedd tad Gwynfor,' meddai Eluned, gan anelu'n syth at yr haen o ramant a ymguddiai yn Annie. 'Sut gôt oedd ganddo fo, Gwynfor?'

'Roedd 'na fotymau aur arni.'

'Aur go iawn?'

'Ia siŵr iawn,' meddai yntau, gan ffieiddio ati.

Ym mhoced ei grysbais, roedd ganddo lun o'i fam mewn het hefo aderyn arni, yn gafael yn llaw ei chwaer fach a honno hefo'r cyrls delaf a welsai Annie erioed. Bu farw'r ddwy o'r diphtheria, meddai Eluned a thad Gwynfor hefyd, er ei fod yn ddyn mawr cryf hefo botymau aur ar ei gôt.

'O, dyna biti,' meddai Annie, ei gwaed yn cyflymu

a'i bochau'n gwrido, gan ei bod yn stori mor drist a da. Newidiodd ei meddwl am Gwynfor wedyn ac er iddi ddal ei gafael ar ei chenfigen o'i allu i ganu a bihafio, sylweddolodd y bu'n rhaid iddo dalu pris torcalonnus am y sylw a roddwyd iddo.

Ni soniodd Gwynfor fwy am ei deulu ac ni holodd Annie, gan ei bod wedi llunio'r stori drosti'i hun. Tad Gwynfor yn glanio yn Lerpwl a'r haul yn sgleinio arno fo a'i fotymau a phawb mor hapus o'i weld o. Tan iddyn nhw i gyd ddechrau tagu a throi'n wael. Pawb ond Gwynfor druan. Dychmygodd Gwynfor mewn siwt felfed, ei wallt yn hir at ei ysgwyddau. Ac Enoc a Lisabeth yn dod i'w nôl o ar ôl claddu pawb ac yn torri'i wallt del i gyd i ffwrdd a rhoi'r siwt felfed ar y tân.

Gwyddai Eluned yn well na neb beth oedd grym a natur rhamant. Dyna sut y llwyddodd doddi calon Annie. Toddwyd ei chalon hithau flynyddoedd ynghynt gyda hanes Henry Cyril Paget. Yr un fath â hithau, collodd yntau ei fam, cyn iddo ffurfio unrhyw ymwybyddiaeth ohoni.

'Brioda i byth eto, Mari fach,' meddai Bob Wmffras, wrth iddo ollwng ei ddyrniad o bridd ar fedd ei wraig. A gwnaeth y gorau a allai hebddi, er bod Eluned fach yn gyndyn o brifio. Roedd hi'n dawel, yn dair oed cyn iddi ddweud 'Tada' a bu gorfoleddu mawr bryd hynny.

'Mi fydd hi'n siarad fel twrna ymhen dim,' broliai Bob. Ac Eluned yn gwenu'n ddel ar bawb a dweud, 'Tada.'

Gan nad oedd ganddi eiriau am yr hyn a deimlai ac a welai aeth y blynyddoedd cynnar ar goll i Eluned ac ni allai gofio dim a ddigwyddodd iddi cyn y foment y siaradodd gyntaf. Ei hatgof cynharaf oedd o'i thad, atgof o lawenydd a chofleidiad. 'Dyna chi beth neis, ynte?' meddai wrth Gwynfor ac Annie.

Roedd ei gair Saesneg cyntaf yn un a gofiai hefyd, os rywbeth, gyda mwy o syndod a gorfoledd. Roedd gyda'i thad yng ngerddi'r Plas a daeth un o'r morwynion heibio.

'Bore da, Miss Williams,' meddai Bob.

Gwthiai gawell o wiail ar olwynion, gyda chanopi glas drosti.

'Be ydi o?' gofynnodd Eluned a phlygodd Miss Williams ati a dweud yn araf,

'*Perambulator*.'

'Coets,' meddai ei thad a'i chodi i weld y babi. Roedd hwnnw fel blodyn yn ei ffrils gwynion ac ni wyddai Eluned ai gwthio'r goets yntau bod ynddi fyddai'r gorau ganddi. Ond nid oedd ganddi unrhyw amheuaeth ynglŷn â'r babi.

'Ga i o?'

'O, na chewch, wir,' meddai Miss Williams yn ddifrifol a chwarddodd Bob Wmffras.

'Be wnait ti hefo fo, 'rhen un fach?'

A thu hwnt i'w fwytho, ni wyddai Eluned.

Am fisoedd wedyn ac ymhell ar ôl iddi ddechrau'r ysgol, byddai Eluned yn gofyn i'w thad bob nos y deuai adref o'i waith, 'Welsoch chi'r babi heddiw, Tada?' tan i hwnnw ddiflasu braidd a dechrau dweud straeon amdano i'w chadw'n dawel.

'Dihangodd y babi heddiw 'ma. Fflio fel deryn o'r *perambulator* a chlwydo yn y coed a Miss Williams yn gweiddi fel cyw mul ac yn rhedeg ar 'i ôl o. Ac yntau'n neidio o goedan i goedan yn chwerthin ar 'i phen hi...' Chwarddodd Eluned. 'Ond wedyn, cafodd Miss Williams afael ar rwyd fawr o rywle ac wrth iddo fflio tuag at

Frynsiencyn, mi daliodd o a'i roi o'n ôl yn y *perambulator*.'

Gwelodd siom ar wyneb Eluned. 'Mi roedd o wedi blino erbyn hynny ac yn ddigon balch o gael cysgu.'

'Oes gan y babi enw?'

'Henry Cyril.'

'Dyna enw del, ynte Tada?'

Gan fod Eluned yn dotio cymaint ar y babi ac yn edrych ymlaen at yr hanesion, bu'n ddigalondid mawr i Bob Wmffras glywed fod Henry Cyril wedi'i symud ymaith i Ffrainc. Yn ddistaw bach, daeth Bob i fwynhau'r straeon bron cymaint â'i ferch, gan fod meddwl am hanesion i'w ddweud wrthi ar ddiwedd dydd yn ysgafnu ei waith a chodi'i galon. Wrth feddwl am straeon, daeth rheolau natur yn bethau i'w hystumio ar fympwy. Daeth llwynog heibio'n gynnar un bore a thaflodd Bob ei drywel ato.

'Dos y diawl...' yna, rhoddodd chwerthiniad o ddiolchgarwch, a'r noson honno cafodd Eluned stori am etifedd bach y Plas yn reidio llwynogod a dwyn adar y Cipar. Dro arall ac yntau'n tendio'r rhosod, dychmygodd Bob y babi'n cuddio ynghanol un ohonynt ac yn mynd i gysgu. Caeodd y petalau'n glud amdano a bu Miss Williams a holl bobl y Plas i fyny tan iddi wawrio yn chwilio amdano.

Bu'n fendith i Bob Wmffras gael ymgolli yn y fath wamalrwydd ac yntau'n dal i deimlo'i brofedigaeth ac yn poeni cymaint beth a ddeuai o Eluned druan. Ystyriodd yn ofalus beth fyddai ei hymateb i absenoldeb Henry Cyril a beth i'w ddweud wrthi.

'Be wnaeth o heddiw, Tada?' A chyn ateb cododd Bob Wmffras hi ar ei lin.

'Mae arna i ofn, Eluned fach, bod Henry Cyril wedi mynd i ffwrdd i Ffrainc am ychydig.'

'Lle mae Ffrainc?'

'Ymhell, bell dros y dŵr.'

'Fflio nath o?'

Dychmygodd Eluned y plentyn yn llamu o'i goets, cipio'r gwynt a saethu dros y Fenai.

'Na, nid fflio: daeth ei fodryb i'w nôl o,' meddai ei thad, yntau dan deimlad. 'Bu farw mam y babi bach, ti'n gweld.'

'Ddaw o'n ôl?'

'Daw, ond nid am sbelan go hir, ddeudwn i.'

Daeth dagrau i'w llygaid ac edifarhaodd Bob Wmffras na fyddai wedi meddwl am well esboniad: na fyddai wedi dweud fod y babi wedi dianc o'r diwedd ac wedi gneud pi-pi ar ben Miss Williams wrth adael.

Roedd Eluned yn dair ar ddeg cyn iddi weld Henry Cyril wedyn. Roedd wedi gadael yr ysgol erbyn hynny. Wnaeth hi fawr o sôn amdani'i hun yno, er da neu ddrwg. Doedd hi'n fawr o sgolor, synfyfyriai'n dragwyddol ac ni wyddai neb am beth. Roedd fel petai ei phen yn llawn swigod a llithrai'r gwersi o'i chwmpas heb iddi ddal gafael mewn dim. Serch hynny roedd yn ufudd a siriol, hoffus, hyd yn oed, ac nid oedd diben na rheswm ceisio curo dysg i'w phen. Yr un fath â'i thad, daeth yr holl ysgol, yn athrawon a phlant, i feddwl amdani fel Eluned druan.

Ac felly'n union roedd hi o gwmpas y tŷ, yn rhy freuddwydiol i ysgafnu llawer ar faich ei thad. Roedd hwnnw wastad beunydd yn ei rhybuddio: 'paid â mynd yn rhy agos i'r tân... gwatsia'r cetl 'na.' Roedd ei gafael yn llac a'i hymateb yn araf, gollyngai rai pethau ac anghofiai rai eraill. Ond o ystyried ei bod yn drwsgl ac yn esgeulus, roedd Eluned yn handi gyda nodwydd a'r hetar. Ymgollai mewn dillad. Wrth smwddio a phlygu, byddai'n mwmian canu. Doedd ganddi fawr o lais a byddai'r alawon yn toddi i'w gilydd wrth iddi anghofio'r dôn, neu fethu â chyrraedd ambell i nodyn.

'Wn i ddim ydi'r hogan 'cw'n ffit i ennill ei thamaid,' cwynodd Bob Wmffras wrth Lisabeth Owen.

Gwylltiodd honno, gan ddweud pa syndod ac Eluned druan yn cael ei chadw fel iâr dan badell. 'Rhaid ichi adael iddi sefyll ar ei thraed ei hun, Bob Wmffras.' A digalonnodd yntau wrth ei dychmygu'n simsanu ar ddim. 'Ella nad ydi Eluned mo'r mwya galluog, na'r mwya siarp, ond mi synnes i mor sgut oedd hi i ddysgu gwnïo. Doedd ond raid i mi roi nodwydd yn ei llaw hi a mi roedd hi'n pwytho a brodio'n ddigon o ryfeddod. A sbïwch ar eich crys chitha, ond ydach chi fel blaenor.'

Gwridodd Bob a chytuno â hi'n gyndyn.

'Holwch oes na rywbeth iddi yn y Plas, da chi. Tydi'r hogan yn gweld neb o un diwrnod i'r nesa ers iddi adael yr ysgol.' A dechreuodd Lisabeth godi stêm. 'Fyddwch chitha, maddeuwch i mi ddweud, ddim o gwmpas am byth i edrych ar 'i hôl hi.'

Plygodd ei breichiau a nodiodd yn ddiamodol i gyfeiriad Bob.

Fe'i brifwyd i'r byw gan eiriau Lisabeth. Hen beth galed a phowld oedd hi. Ac er ei fod yn ddiolchgar ei bod wedi gwarchod cymaint iddo, wyddai hi nac Enoc ddim am fagu plant ac yn enwedig nid plentyn fel Eluned. Er nad oedd eto'n ddeugain, dechreuodd deimlo'n hen a meddyliodd drachefn beth a ddeuai o Eluned ac yntau bellach ar ei ffordd i heneiddio.

Yn wylaidd, holodd Mrs Pŵal, yr Howscipar am safle addas i'w ferch, gan esbonio ei diffygion yn ofalus.

'Gawn ni weld, Mr Humphreys,' meddai Mrs Pŵal a galwodd Eluned i'r Plas er mwyn iddi gael cyfle i'w chyfarfod.

Doedd waeth gan Eluned smwddio a thrwsio dillad pobl fawr fwy na rhai ei thad a hithau. Cychwynnodd tua'r Plas heb unrhyw bryder na fawr o ddisgwyliad, gyda samplau o'i gwaith gwnïo mewn basged.

Wrth iddi agosáu at ben y llethr a redai at y Plas a'r Fenai, daeth cart wedi'i dynnu gan rywbeth tebyg i arth ddu o'r llwyni rhododendron. Cyflymodd ei chalon a'i herciad a gwyddai bod yn rhaid cael golwg ar bwy oedd yn y cart. Sylweddolodd mai ci mawr oedd yr arth a bod dynes sgwâr fel crât yn ei dywys. Brysiodd tuag atynt, wedi ymgolli gormod i gofio rhybuddion ei thad i beidio â chythru. Gwyddai mai Henry Cyril oedd o fewn ei golwg. Roedd o'n fain a gwelw a gwisgai het wellt gyda chantel llydan a rhuban du o'i hamgylch. A hithau'n methu â chadw i fyny, safodd yn ei hunfan a gwaeddodd,

'Hei!' gan chwifio'i llaw.

Trodd Henry Cyril ati, gwenodd a chwifiodd yntau ei law. Gwgodd y ddynes sgwâr a thynnodd y ci i gyfeiriad arall. Edrychodd Henry Cyril yn ôl ar Eluned, gan chwerthin a'i law dros ei geg a chododd ei law unwaith eto wrth i'r pellter droi'n drech na hi.

'Mae eich tad yn dweud eich bod chi'n *invalid*,' meddai Mrs Pŵal. Syllodd Eluned arni. 'Ydach chi'n wael?'

'Na, dwi'n iawn, diolch,' meddai Eluned. Tybiodd mai gair Saesneg am infalîd a ddefnyddiodd Mrs Pŵal. 'Paid,' meddai ei thad wrthi weithiau, 'cofia mai infalîd wyt ti.'

Ym mharlwr Mrs Pŵal, meddiannwyd Eluned gan y gair a gan y syniad mai dyna beth oedd hi, in-fa-lîd. Ni wyddai ai rhywbeth da yntau ddrwg ydoedd. Tra siaradai Mrs Pŵal, edrychodd drwy'r ffenest ar y lawnt, y gerddi a'r coed. Roedd infalîd yn rhywbeth llonydd fel coeden meddyliodd. Ac yn union fel coeden, tydi infalîd ddim yn rhywbeth sy'n symud nac yn gwneud rhyw lawer o sŵn. Yna, sylweddolodd mai infalîd oedd Henry Cyril hefyd, gan fod angen olwynion ac anifail neu berson i'w symud o gwmpas. Gwyddai erbyn hynny wrth gwrs na allai fflio, mai eisiau fflio oedd y peth bach, yr un fath â hithau. Meddyliodd mor debyg oedden nhw ill dau a daeth hyn â phleser mawr iddi.

'Miss Humphreys?' meddai Mrs Pŵal. A throdd Eluned ati'n wên o glust i glust. Petrusodd yr Howscipar am foment, wedi'i drysu gan ryfeddod yr hogan.

'Mae eich gwaith chi'n *first-class* ac mi gewch chi weithio deuddydd yr wythnos am gyfnod prawf...' O weld fawr o ymateb, ychwanegodd, 'dewch draw i'r londri am saith o'r gloch fore Mercher nesaf.'

* * *

Er iddi foddio'i hun am ychydig yn ystyried Gwynfor fel tywysog bach amddifad, yn alltud o foethusrwydd Lerpwl, doedd dim rhamant ynghlwm â thywysogion eraill ym meddwl Annie bellach. Aeth i'r Arwisgo yng Nghaernarfon y flwyddyn cyn geni Cyril. Welodd hi ddim yng nghanol yr holl bobol a ffraeodd gyda Frank, er na allai gofio am beth. Gwyddai erbyn hynny mor fregus a gwag oedd braint a chyfoeth a gwelodd, o wybod hanes y Marcwis, mor sydyn y gallent darthu. Tua'r un cyfnod daeth i wenwyno llwyddiant Gwynfor ac yna'n ddiweddarach, ni wyddai beth i'w feddwl na chredu. Melltithiai'r rhyfel, gan wybod rhywsut mai'r tywysogion a'r crach oedd ar fai.

Doedd dim rhyfedd na wnaeth erioed feddwl am ei Cyril hi fel tywysog. Roedd yna ormod o Dŷ'n Clawdd ynddi i hynny. Doedd eu siort hwy yn dda i ddim ond i borthi'r gynnau. Ymhen deng mlynedd o ddod yn ôl o'r rhyfel yn arwr, roedd John ei brawd yn y jêl. Soniodd hi ddim am y peth wrth Frank, gwell oedd peidio â chymryd arni nad oedd yn gwybod dim. Collasai gyswllt â'i brawd, beth bynnag.

Pan oedd yn fach a hithau'n adeg rhyfel, byddai Cyril yn smalio'i saethu.

'Ryt-tyt-tyt-tyt-tyt – ti wedi marw!'

Cydiodd hi yn ei mynwes, a griddfan a gwegian, cyn disgyn i'r llawr. Sbîd oedd popeth i Cyril a chwynai ei bod yn cymryd gormod o amser i farw.

Buan y collodd ddiddordeb mewn gynnau a lladd. *Roller-skates* ddaeth wedyn ac yna'r beic, unrhyw beth fyddai'n arbed amser a chaniatáu cyflymder. Cythrai i bobman ac wedi cyrraedd, byddai'n ysu am rywle neu rywbeth arall i'w wneud. Cysgai fel top bob nos. Dim rhyfedd i flynyddoedd ei blentyndod ruthro heibio. Daliwyd Annie yn eu cyffro a llifai'r blynyddoedd wrth i Cyril hawlio'i sylw. Prin y gallai ddweud beth a wnâi Frank drwy gydol rhu'r ugeiniau, tu hwnt i ennill eu tamaid, chwarae golff a dweud, 'pwylla', o bryd i'w gilydd.

Pan adawodd yr ysgol, gwibiai Cyril drwy gariadon ar yr un cyflymdra. Mair, Violet, Avril... Cawsai Annie eu straeon i gyd. Avril oedd yr unig un i'w drechu – aeth hi i ffwrdd gyda dyn gwerthu ceir. 'Gwynt teg ar 'i hôl hi,' meddai Cyril wrth i Annie gydymdeimlo. 'Mi fasa Nain

Ty'n Clawdd wedi dweud ei bod hi'n goman!' a chwarddodd hithau.

Bob nos Sadwrn âi Cyril i'r pictiwrs ac i ddawnsio gyda'r genod. Ond ar nos Fercher, byddai'n mynd i'r pictiwrs gydag Annie. Golygai hynny y câi hithau fwynhau amrywiaeth o luniau: rhamant a dioddefaint merched tlws gyda Meic ac antur, cowbois a gangsters yng nghwmni Cyril.

Prin i Annie fynd erioed i'r pictiwrs gyda Frank. Byddai o'n gwawdio'r lluniau; dweud mai cadi-ffan oedd Valentino er mwyn ei gwylltio. Mynd am dro a fynnai Frank bob amser. Dal y bws i Fetws y Coed, Conwy neu Fiwmares, cael te a sgon a mynd adref heb fod dim callach. Weithiau, pan fyddai mewn hwyliau da, byddai'n prynu rhyw gadw-mi-gei i Annie. Sothach gan amlaf. 'A present from...' Y math o beth fyddai'n plesio Augusta pan âi ar drip ac yntau'n blentyn. Unwaith, prynodd hambwrdd i Annie o Landudno – nid ar eu mis mêl, doedd bosib? Roedd arno batrwm wedi'i ffurfio o enfys liwiau adenydd glöyn byw. Dyna'r peth tristaf a welsai Annie erioed a chuddiodd ef yng nghefn y seidbord.

Os byddai Cyril yn mynd i rywle gyda'i ffrindiau, byddai Annie'n rhoi pres iddo ar yr amod y byddai'n gwario pob ceiniog arno fo'i hun. 'Paid ti â meiddio dod â hen bresant gwirion i mi – i godi'r felan arna i!' A daeth i ddiolch ei fod wedi ufuddhau ac na bu raid iddi adael yr un ffeirin fyddai'n torri ei chalon ar ei hôl ym Menai Villa.

Fyddai neb yn gwneud hwyl am ben Cyril am fynd allan gyda'i fam. Yn un ar hugain, tyfodd fwstásh bach main a wnâi iddo edrych yn hŷn, yn olygus a dweud y gwir. 'Ti fath yn union â Clark Gable,' meddai Annie, 'ond fod gen ti glustia delach!' Cagney oedd ffefryn Cyril. Roedd hwnnw'n tyff a ffraeth, yn ysgafn ar ei draed ac yn ddawnsiwr. Ta waeth am hynny bellach.

6

'RO'N I'N CLYWED dy fod ti wedi cael hwyl ar ffrog briodas Madge Pritchard,' meddai Buddug.

'Do, am wn i.'

Plygodd Annie y bais a'i gosod dan wydr y cownter.

'Ffrils rownd y gwddw, medda Sioned ni…'

Wedi gosod y bais yn ei lle a llithro cefn y cownter ynghau, sythodd Annie a gofynnodd, 'sut fedra i dy helpu di, Buddug?'

Gwasgodd honno ei gwefusau a chymeryd anadl; 'Dwi 'di cael côt yn ail-law gan Mrs Tudor-Jones. Brethyn, da hefyd – dim gwaeth. Ond ei bod hi braidd yn fawr i mi.' Syllodd Annie ar ei chwaer, smaliodd syndod, ond gwyddai'n iawn beth fyddai'n dod nesaf. 'Biti methu gwisgo côt dda fel 'na. Mi fasa'n gwneud yn *champion* i mi hefyd, ond i'w chwteuo ychydig a'i thynnu i mewn.' Daeth seibiant a gwasgodd Buddug ei cheg drachefn. 'Meddwl o'n i, gan fod yr injan wnïo gen ti.'

'Wyt ti am i mi ei chwteuo a'i thynnu i mewn i ti? Pam na ddeudi di'n blaen a finna wrth fy ngwaith.'

'Ddo i â hi draw i ti?'

'Na,' meddai Annie'n bendant. Nid oedd am i'w chwaer o bawb gymharu fflat yr Avondale yn anffafriol â chysur Menai Villa. 'Mi alwa i draw i'w nôl hi ar fy ffordd adra heno.'

'Siort ora,' a phrysurodd Buddug o'r siop, cyn i Annie gael cyfle i werthu dim iddi.

'Cofia fi at y bychan, Richie!' galwodd ar ei hôl. Cochodd Buddug ac aeth ymaith yn ei chwman.

Yn ystod wythnosau cyntaf Annie yn y Golden Eagle, cynyddodd cwsmeriaeth y siop yn sylweddol. Aeth si o gwmpas Amlwch fod dynes ryfedd yn gweithio yno, yn siarad Ffrensh a'i gwallt yn felyn fel sofran. Ac yna, wrth i'r stori fynd ar led, ychwanegwyd mewn sibrwd, 'wedi cael difôrs a cholli'i hogyn bach...' Roedd y cyfuniad o flasusrwydd a thosturi'n codi penbleth. Ni wyddai neb yn iawn beth i'w wneud ohoni, tu hwnt i fynd draw i'r Golden Eagle i'w gweld drostynt eu hunain.

'Sut fedra i eich helpu chi?' gofynnai Annie.

'Jest sbïo.' A bron na fyddai Annie'n taro safiad i amlygu ei hysblander, gan eu gwahodd i graffu arni'n iawn. A'r eiliad hwnnw, pan fyddent yn pwyso a mesur ei hymddangosiad, byddai Annie'n ymosod.

'Blows neis gynnoch chi. Beth am sgarff bach i wneud y gorau o'r lliw?' Cyn i neb allu dweud gair, byddai wedi bachu tamaid o sidan, rhoi plwc sydyn iddo, ei hongian ar y cwsmer a'i glymu'n gywrain. Camai'n ôl i roi ei dyfarniad: 'Voilà – oh là là!'

'Dach chi'n meddwl?'

'Sbïwch,' gan eu hebrwng at y drych. 'Y *details* bach sy'n gwneud y gwahaniaeth rhwng llynedd ac eleni!'

Byddai'r cwsmer wedi'i bachu erbyn hynny, yn bodio'r sgarff yn ddryslyd ac yn edrych ar ei hadlewyrchiad yn y drych fel o'r newydd.

'Bydd rhaid i ni ordro mwy o sgarffiau,' meddai Mrs Owen. 'Welais i rioed cymaint o fynd arnyn nhw.'

'Mae sgarff yn ychwanegiad allweddol ar gyfer eleni,' meddai Annie a Mrs Owen yn rhyfeddu ati.

'Mae hi'n dallt ei phethau,' meddai honno wrth ei gŵr.

'Gwybod sut i werthu crafat, beth bynnag,' cytunodd yntau.

'Pwy ydan ni i'w beirniadu hi, ynte?'

Gwnaeth Annie argraff ar gwsmeriaid arferol y Golden Eagle yn ogystal, y sawl a ddeuai yno'n un swydd i brynu dillad. Doedd sicrhau bod dilledyn yn ffitio ddim yn ddigon i Annie, byddai'n rhaid iddo ffitio'n berffaith iawn. Y sgert a'r llawes o'r hyd cywir a'r dartiau yn y lle iawn i wneud y gorau o siâp y cwsmer.

'Rhowch ddeuddydd i mi ac mi fydd yn ffitio fel maneg i chi,' meddai Annie ac am bris rhesymol iawn, byddai'n sicrhau hynny. Cynghorai wragedd ifanc y dref i brynu barclodiau maint neu ddau yn llai na'u harfer. 'Dim rheswm i beidio edrych yn *chic* a siapus o gwmpas y tŷ, nag oes?' Er nad oedd fawr o arian ar gael, roedd cyngor ac addasiadau Annie'n ddigon rhad nes peri i ferched Amlwch deimlo y gallent herio rhyw fymryn ar eu tlodi.

Ymhen amser, daeth doniau Annie i sylw Mrs Tudor-Jones. Ac er nad oedd arian o bwys iddi ac er na fyddai fel arfer yn tywyllu drws y Golden Eagle, fe ildiodd a hynny allan o gyfyng-gyngor yn gymaint â chwilfrydedd. Byddai'n cydnabod ei hun, i'w chyfeillion agosaf, bod ganddi siâp anodd. Roedd hi'n dal ac yn syth, ond gyda gormodedd annifyr o fynwes a daflai pawb i gysgod pan ymddangosai. Roedd sicrhau bod ei botymau ynghau yn drafferth barhaol iddi. Ac ni wnâi'r tro i ddynes fel Mrs Tudor-Jones fod â'r un botwm heb ei gau.

'Mrs Tudor-Jones,' hisiodd Mrs Owen. 'Edrychwch chi ar ei hôl hi, Miss Roberts.'

'Sut fedra i eich helpu chi?' gofynnodd Annie, gan syllu i fyny at fronnau mawreddog Mrs Tudor-Jones.

'Rhywbeth cyfforddus, ffwrdd â hi dwi isio.'

'Jersi, felly,' meddai Annie, yr un mor awdurdodol â hithau.

Wrth i Mrs Tudor-Jones dorsythu o flaen y drych, gan esmwytho'r defnydd lledadwy dros ei mynwes, mentrodd Annie ofyn:

'Ydach chi rioed wedi ystyried *brassiere*, Mrs Tudor-Jones?' a daliodd Mrs Owen ei gwynt yn uchel.

'Brasiar?' gofynnodd Mrs Tudor-Jones yn groch.

'A *roll-on* rwber? Llawer iawn mwy cyfforddus a ffwrdd â hi na staes fawr ar dywydd poeth. Dach chi'n ddynes ifanc a sionc, Mrs Tudor-Jones, mymryn o support ydach chi isio, dyna'r oll.'

Ar hynny, brysiodd Mrs Owen i'r cefn o'r golwg am hoe fach.

Syllodd Mrs Tudor-Jones ar Annie am eiliad, ei meddwl yn troelli. 'Dach chi'n llygaid eich lle, Miss Roberts,' meddai. 'In the eye of your place!' ychwanegodd, gan chwerthin. Chwarddodd Annie hefyd, ond gyda thosturi. Credai fod jôcs gwael yn arwydd o orwelion cyfyng a meddyliodd mor dda fyddai Mrs Tudor-Jones a Frank yn tynnu ymlaen gyda'i gilydd.

Camodd Mrs Tudor-Jones o'r ciwbicl fel dynes newydd. Doedd dim rhaid i Annie ddweud gair, lleisiodd drosti y ganmoliaeth uchaf:

'Dwi'n edrych ddeng mlynedd yn 'fengach, Miss Roberts!'

'Fel hogan...'

'Oes gennych chi fwy o'r rhain mewn stoc?' gofynnodd, gan siffrwd ei bysedd dros ei bronnau, yn rhy fonheddig bellach i ddweud brasiar. Ar hyn, daeth Mrs Owen o'r cefn gan wenu'n wylaidd. Dechreuodd Mrs Tudor-Jones fwrw drwyddi: 'mae gennych chi drysor yn Miss Roberts, Mrs Owen...' A Mrs Owen, nid Annie a wridodd at ei chlustiau.

Gwyddai Annie bwysigrwydd ennill sêl bendith Mrs Tudor-Jones. Byddai Buddug yn dod i wybod bod ei chwaer yn drysor, yn ogystal â'r gwragedd ffermydd a'r sawl a fynychai'r eglwys a'r capeli mewn hetiau gwirion. Drwy un cwsmer, rhyddhaodd Annie ferched Amlwch o'i staesys hirion ac, yn y man, gorfodwyd Mrs Evans Manchester House i ailfeddwl ac adnewyddu ei stoc o ddillad isaf. Roedd y sefyllfa'n ddoniol a pheth rhyfedd ydi doniolwch ynghanol galar. Dychmygodd Annie Cyril yn ei ddyblau'n clywed hanes Mrs Tudor-Jones yn honcian i'r Golden Eagle fel pioden ac yn gadael ar sbonc, fel lefren. Enillodd ei lle'n rhyfeddol o sydyn. Gallai adael fflat digalon yr Avondale bob bore, gan wybod yn iawn yr hyn y disgwylid ohoni. A gwyrth hynny oedd bod y bobl yn disgwyl cyn lleied: y mesur cywir o faldod, gonestrwydd ac awdurdod, ambell i ddywediad Ffrangeg na wyddai beth yn y byd a olygent ac yna, fel y byddai hi ei hun yn ei ddweud, 'voilà!'

* * *

Felly roedd Eluned am gyfnod hefyd – yn ei helfen. Wedi taro ar ei chynefin naturiol tu ôl i lenni Gaiety Theatre y Plas. Rhoddwyd iddi'r teitl Wardrobe Mistress a'r holl barch a ddeuai yn ei sgil, gan fod actorion mor ofergoelus a ffyslyd o'i gwisgoedd. Nid oedd pâr o drowsus yn y byd yn ddigon tyn i blesio Teddy Duval a byddai Pansy'n mynnu gostwng gyddfau ei ffrogiau i'r eithaf ac Eluned, na siaradai lawer o Saesneg, yn rhybuddio, 'Dim mwy...'

'Mmww – ii!' bloeddiai Henry Cyril Paget, gan agor ei freichiau a thaeru mai dyna'i hoff air. A byddai'n rhaid i Eluned ildio'n faldodus,

'Mymryn mwy 'ta.'

Roedd yna ryw agosrwydd hynod rhwng Eluned a'r Marcwis. Y ddau fel plant bach yn llechu mewn corneli gyda'i gilydd, yn sibrwd a phwffian chwerthin, ac ym myd llachar a chaeedig y Gaiety Theatre, ymddangosent yn fwy plentynnaidd fyth.

Flynyddoedd wedyn aeth Annie â Richie a'i chwaer Glenys i'r pictiwrs yn Amlwch i weld y *Wizard of Oz*. Pan drodd y sgrin yn decnoliw, cafodd y fath ysgytiad o atgof nes iddi feddwl mewn difri sut roeddan nhw'n gwybod?

Byddent yn siarad â'i gilydd mewn cyfuniad o Gymraeg, Saesneg a siarad babi. Byddai Henry Cyril mewn gwisg o sidan gwyn a oedd mor dynn nes peri i Eluned wichian, rhoi ei dwy law ynghyd rhwng ei chluniau i atal ei hun rhag pi-pi a griddfan, ' ww-yy, ww-yy,' drosodd a throsodd. Yntau'n syllu arni'n ddifrifol, gan ddal mwclis at ei wddf a gofyn;

'Mwcs?'

'Mwy!' Nid oedd gormod yn bodoli i Eluned mewn perthynas â'r Marcwis; 'mwy o mwcs – rŵbs a saffis ac emis a sers...' Ac yntau'n pentyrru *jewels*, yn fwcs a ding-dongs o'i glustiau a mods ar ei fysedd.

'Dii-gon?'

'Byth digon!' a hynny gan rywun na ddisgwyliai ddim iddi hi ei hun.

* * *

Pedair blynedd a roddwyd i Eluned fwynhau bod yn hi ei hun yn y theatr. Dywedodd wedyn iddi fod yn fwy ffodus na llawer wrth gael hynny. Gwnaeth hyn argraff ddofn ar Annie, ac o ganlyniad, bu'n amheus o unrhyw lawenydd am y gwyddai y byddai'n siŵr o basio.

Erbyn y Nadolig ac er iddi ymateb yn gwrtais a chynnes i lythyr Frank, roedd Annie wedi anghofio am y cownt banc. Roedd ei bywyd yn gynnil ac nid oedd arni angen mwy na chyflog y Golden Eagle. Byddai'n bachu'r dillad nad oedd modd eu gwerthu: ffrogiau wedi pylu o fod yn y ffenest yn rhy hir, blowsiau gyda botwm ar goll, eu haddasu neu eu llifo'n lliw gwahanol. Roedd hi'n ddigon balch o rywbeth i'w chadw'n brysur ar ôl gwaith. Ei hunig foethusrwydd oedd minlliw, powdr a'i thrip misol ar y bws i Gaergybi i liwio'i gwallt. Cynefinodd â'r melyn llachar a daeth i uniaethu â bod yn *platinum blonde*. Roedd y ferch trin gwallt yn fedrus a sych ac weithiau byddai Annie'n hiraethu am Monsieur Michel a'i hen lol wirion.

Gan mai sylfaenol oedd cegin y fflat a fawr o awydd arni hithau goginio, byddai'n byw ar frechdanau corn bîff ac ambell i fynsen o'r Avondale. Os byddai cwsmeriaid y Golden Eagle yn canmol ei siâp ac yn holi ei chyfrinach atebai Annie, heb air o gelwydd,

'Corn bîff a bath buns.'

Treuliodd ddiwrnod digysur y Nadolig yn nhŷ ei chwaer, a daeth honno i'r casgliad mai ychwanegiad lliwgar yn hytrach na gwarthus ydoedd i'w theulu. Daeth Annie â photelaid o sieri'n anrheg, ac ar ôl dau wydriad, trodd Buddug yn ddagreuol;

'Mae'n braf dy gael di yma Annie fach – a chditha 'di cael y fath flwyddyn... Ond, hefo Frank ddylet ti fod ar ddiwrnod Dolig... Frank druan!'

Gwingodd Annie a dychmygu Frank yn ei gadair freichiau, wedi tynnu'i sbectol, yn rhwbio'i dalcen a griddfan, gyda choron o bapur sidan Nadoligaidd ar ei ben. Byddai'n chwarae rownd o golff y bore wedyn a cheisiodd, drwy gyfeirio holl rym ei hewyllys da i gyfeiriad Bangor, ei atgoffa yntau o hynny.

'Ti 'di cael gormod, Buddug,' meddai. Cydiodd yn y botel sieri a thywallt un arall iddi hi'i hun, gan adael i'r trallod na feiddiai Buddug ei enwi gyfiawnhau gwydriad arall.

Gadawodd Annie dŷ ei chwaer fel roedd hi'n dechrau tywyllu. Roedd strydoedd Amlwch yn wag a chaeodd ei drws mewn rhyddhad, rhyw ddiolch i'r drefn fod hynna drosodd, yr anwedduster o ymlawenhau a phawb a phopeth mor fregus. Ni allodd stumogi addurno'r fflat, heblaw am osod y pedwar cerdyn ar y silff ben tân. Un parchus a phrudd gan Frank ('gobeithiaf yn daer Annie fach, mai dyma'r Nadolig diwethaf i ni fod ar wahân.') Cerdyn gan Buddug a Twm, Mrs a Mrs Owen ac un arall gan Ernie Walters.

Gweithiai Ernest Walters ar lawr gwaelod y Golden Eagle yn gwerthu dillad dynion ac ambaréls. Gofynnodd Annie a fyddai gwahaniaeth ganddo pe byddai'n ei alw'n Ernie. Gwridodd yntau, gan wenu arni.

'Dim o gwbl, Miss Roberts.'

'Annie, plîs.'

Gwridodd drachefn ac aeth i benbleth mawr.

'Ella mod i'n edrych yn ddigon hen i fod yn fam i ti, ond dwi 'di cael bywyd caled.' A bu'r ymateb hwnnw'n ddigon i argyhoeddi Ernie ei fod o'r diwedd wedi canfod ffrind i'w hedmygu'n ddiderfyn.

Edrychai'n fwy o Ernest nag o Ernie, ond mi roedd ei alw'n Ernie'n ysgafnu ychydig ar ei daerineb. Yr hen greadur bach, oedd ymateb cyntaf Annie a dychmygodd iddo gael amser caled yn yr ysgol. Roedd greddf y bwli'n ddigon cryf ynddi i sylwi ar hyn, ond gwyddai mai ymateb i'r gwrthwyneb oedd orau. Bron na theimlai mai ochri â'r gorchfygedig oedd ei phwrpas bellach.

Roedd Ernie'n swil a smart, yn drwsiadus a thin drwm. Roedd ymdrech yr hogyn a'i ymwybyddiaeth o'i fethiant yn ddigon â thorri calon rhywun.

'Dyna'r hwyl gorau ges i erioed,' meddai bythefnos yn gynharach wrth gloi'r siop. Bu Annie ac yntau yno o amser cau tan yn hwyr yn addurno'r ffenest ar gyfer y Nadolig. Teimlai Annie'r fath biti drosto, wrth iddo ddatgan mai dyna un o uchafbwyntiau ei fodolaeth. Rhaid felly ei bod mor fain â hynny arno.

Roedd Ernie wedi benthyca siwt Santa Clôs i'w roi am ddymi'r siop a lluniodd Annie stori amdano'n dychwelyd ar ôl Noswyl Nadolig prysur.

'Hon,' meddai Ernie, gan ystumio at ddymi'r dillad merched, 'ydi'i wraig o.'

'Naci,' meddai Annie. 'mae o wedi ffraeo hefo'i wraig. Mi roedd honno'n swnian isio car newydd – rhywbeth gwell na chart a cheirw. Felly, eleni, mae o am dreulio'r Nadolig hefo Vera, 'i feistres.'

'Annie, tewch wir!'

'Mi rown ni goban fach sgimpi amdani, gwydriad o lemonêd yn 'i llaw a smalio mai siampên ydi o.'

Tra oedd Annie'n addurno'r goeden, piciodd Ernie adref i nôl gwydrau sieri ei fam, sigâr i Santa Clôs a photelaid o bort.

'Doedd dim rhaid i ti ddod â diod go iawn,' meddai Annie.

'I ni mae hwn,' meddai'n swil. Doedd Mam Ernie byth yn yfed diod gadarn, medda fo. Anrheg oedd y port a fu'n sefyll yn y seidbord ers blynyddoedd. 'Fydd o'n iawn i'w yfed, dach chi'n meddwl?'

'Gawn ni weld,' meddai Annie ac agor y botel. Ni allai gofio pryd y cafodd fymryn o bort diwethaf ac o'i olwg a'i barablu, tybiodd na chawsai Ernie wydriad erioed cyn y noson honno.

'Dach chi'n meddwl bydd Santa wedi cofio dod â phresant i Vera? Ambarél, efallai?' Chwarddodd Annie.

'Dwi'm yn meddwl byddai dynes fath â Vera fawr balchach o ambarél. *Lingere* fyddai'n 'i phlesio hi… '

'Dach chi'n iawn Annie. Sori, Vera,' a chofleidiodd y dymi.

Cafodd Vera Nadolig i'w gofio. Taenodd Santa holl sidan, neilon, les a sanau'r Golden Eagle o'i blaen. 'Does 'na olwg anniolchgar arni?' a daeth y ddau i'r casgliad nad oedd yn haeddu'r un dropyn o bort mam Ernie.

'Mae'r botel bron yn wag, beth bynnag,' meddai Ernie. Roedd hi'n bell wedi deg erbyn hynny.

'Saffach i mi 'i gorffen hi, dwi'n meddwl.'

'Os dach chi'n dweud Annie.'

Beth haru'r hogyn, meddyliodd hithau. Bron na

ddechreuodd gredu bod ei ufudd-dod yn fwy o beryg iddo nag unrhyw ddrwg a ddeuai o wydriad arall o bort. Serch hynny, rhoddodd glec i'r botel a'i chuddio'n ofalus yng ngwaelod bin sbwriel y Golden Eagle.

Deffrodd fore trannoeth â'i cheg yn grimp, gydag atgof o ddawnsio o gwmpas y siop gydag Ernie: Ernie, nid Cyril. Ac ni allai ddweud pa wacter a frifai fwyaf, absenoldeb Cyril, yntau iddi anghofio amdano'r noson gynt. Gydag euogrwydd yn ei hollti, beiodd y Nadolig.'Ges i row gan Mam neithiwr,' sibrydodd Ernie ac atebodd hithau mor dalog ag y gallai,

'Os ydi o ryw gysur i ti, mi wnaethon ni well sioe ohoni na Manchester House, prin faset ti'n gallu dweud 'i fod yn Ddolig yno!' A gwenodd Ernie o glust i glust.

Minnie Walters, dyna hen jadan, meddyliodd Annie. Byddai'n dod â brechdan mewn papur llwyd i Ernie bob amser cinio, rhag ofn i hwnnw fentro allan i gaffi, wastio pres a tharo sgwrs hefo rhywun. Hen olwg gybyddlyd a phinslyd arni. Net ar ei phen bob amser i gadw steil ei gwallt mewn lle ar gyfer achlysur na ddeuai byth. Dychmygodd Annie ei thŷ yn llawn cypyrddau i gadw pethau nad oedd wiw eu defnyddio. Dim rhyfedd nad oedd gan Ernie druan syniad o'i bwrpas yn y byd.

'Miss Roberts?' Roedd Mrs Owen wedi ymddangos o rywle tra oedd Annie'n synfyfyrio. 'Ydach chi'n meddwl ei fod yn weddus i Santa Clôs rannu ffenest hefo, hefo *mannequin* a hithau yn ei dillad isaf?' Daeth Annie ati'i hun.

'Wnes i ddim meddwl am hynna, mae arna i ofn, Mrs Owen. Hen syniad gwirion ges i a Mr Walters o Santa'n dod â phresanta arbennig i'w wraig a meddwl mor neis byddai iddi hitha wisgo'r goban ddelaf amdani. Rhoi syniadau i wŷr y dref beth i'w brynu i'w gwragedd.'

'O, ia hefyd.'

'Tydi dynion yn gallu bod mor ddi-glem hefo siopa Dolig?'

'Ydyn, maen nhw. Efallai mai chi sy'n iawn, Miss Roberts. Da'i ddim o flaen gofid.' Ac aeth Mrs Owen i'r cefn, gan wasgu ei dwylo'n ofidus.

Profwyd Annie'n iawn drachefn a bu'n Nadolig llewyrchus i'r Golden Eagle. Holodd un dyn am y siwt Santa Clôs, 'mi fasa hynna'n syrpreis i'r misys,' meddai. Bu'n rhaid i Ernie esbonio fod y siwt ar fenthyg o'r Ysgol Sul a doedd wiw iddi adael y siop.

7

Cysgodd Annie'n wael noson y Nadolig, a deffrodd i fore San Steffan glawog.

Rhag troi'n wag a hel meddyliau, cychwynnodd yn gynnar ar ei gwaith gwnïo - roedd wedi cael bwrdd ar gyfer yr injan wnïo erbyn hynny: roedd ganddi ffril i'w roi ar belmet, sgert frethyn i'w chwteuo ac mi roedd Mrs Tudor-Jones wedi gofyn iddi ail-wneud y dartiau mewn bolero a fynnai wisgo ar gyfer ei pharti Noswyl Calan. Nid bod Annie wedi derbyn gwahoddiad i hwnnw, wrth sgwrs. Daeth dathliadau'r tymor i ben yn swta, ac edrychai ymlaen at roi'r hwyliau smala o'r neilltu a dychwelyd i'r Golden Eagle fore trannoeth. Gyda hynna, fe'i hatgoffwyd o elfen ychwanegol i'w hannifyrrwch.

Yn dilyn noson yr addurno, tybiai Annie y byddai'n well iddi ymwneud llai ag Ernie, er nad oedd yn dymuno hynny o gwbl. Ernie oedd yr unig un a'i hatgoffai o'r hyn yr arferai fod cyn iddi briodi Frank ac yn ddiweddarach, cyn iddi golli Cyril. Wrth hel meddyliau am Minnie Walters y bore hwnnw, trodd ei thyb yn sicrwydd. Dychmygodd Minnie'n mynd o gwmpas y dref yn cega:

'Digon hen i fod yn fam iddo, y hi a'i hen wallt caneri… Dim digon iddi adael gŵr a cholli mab, rhaid iddi hi gael chwalu teulu pawb arall hefyd.'

Gwylltiodd at annhegwch y sefyllfa, gan sylweddoli'r

un pryd nad oedd gobaith trechu Minnie. Er nad oedd pobl Amlwch tu hwnt i ofyn cyngor Annie ar beisiau – blwmeri, hyd yn oed – eto fyth, Minnie, gyda'i gwallt fflat a'i chynildeb ddeuai agosaf at gynrychioli moesoldeb.

'Twll 'i thin hi!' bloeddiodd ar lafar er mwyn rhoi taw ar ei meddyliau a thynnu bolero Mrs Tudor-Jones yn ddi-hid drwy'r peiriant.

Roedd y cyfnod rhwng y Nadolig a'r sêl flwyddyn newydd yn un tawel yn y Golden Eagle ac yn ôl eu harfer, manteisiodd Mr a Mrs Owen ar y cyfle i ymweld â'u merch yn Rhuddlan. Mewn ymgais i lymhau ei golwg, gwisgodd Annie mewn du, o'i chorun i'w sawdl, gan dybio y byddai hyn yn rhoi dŵr oer ar unrhyw hwyl gydag Ernie.

Roedd o'n hwyr – y sinach bach – gan ei gadael yn gyfrifol am ddau lawr y siop. Setlodd ei hun ar y stôl tu ôl i'r cownter dillad dynion ar y llawr gwaelod a dechreuodd ddarllen.

Ychydig wedi deg, canodd y gloch uwchben drws y siop a daeth Minnie Walters i mewn, gyda bonet glaw dros ei net. Sythodd Annie a gwthio y Mills and Boon o'r neilltu, gan guddio'r clawr.

'Ydi Mr Owen i mewn?'

Edrychai'n llai o fferat nag arfer a thybiai Annie, efallai fod y fonet wirion yn ei siwtio hi. Esboniodd fod Mr a Mrs Owen yn Rhuddlan, heb sôn dim am absenoldeb Ernie.

Pwysodd Minnie ei dwy law ar y cownter a syllu drwy'r gwydr ar y sanau a'r hancesi. Cododd ei phen yn sydyn:

'Mae Ernest yn wael.'

'O, tewch â dweud!' a llaciodd Annie ei hosgo.

'Yn ddifrifol wael.' a dechreuodd ysgwyd drwyddi.

'Mrs Walters fach.'

Tynnodd Annie hances o'r tu ôl i'r cownter. Roedd label arni, Irish Linen a meillionen fach werdd wedi brodio ar un gornel.

'Mae hon yn hances dda,' meddai Minnie, gan ei gwthio dros y cownter at Annie. Gwthiodd honno hi'n ôl ati:

'Does fawr o fynd arnyn nhw – cymerwch hi ac eisteddwch, da chi.'

Roedd Ernie'n iawn yn mynd i'w wely, meddai hi. Ond erbyn y bore, ni allai godi. Roedd twymyn arno, prin ei fod o'n ymwybodol a'i siarad yn ffwndrus.

'Meningitis, meddai'r doctor.' Fferrodd Annie. Edrychodd Minnie arni, ei llygaid yn llyncu duwch ei gwisg. 'Mae peth felly'n gallu bod yn ffetal.'

'Nid bob tro.'

'Yn aml iawn,' meddai Minnie'n gyhuddgar. 'Mae'n dibynnu ar y straen, medda fo. Does ddim ffordd o ddweud.'

'Rhaid i chwi obeithio am y gorau.'

Dechreuodd Minnie grio, yna agorodd yr hances a'i gosod yn wlyb a chrychiog ar ei glin.

'Mae'n ben-blwydd iddo wythnos nesa. Twenti wan.'

'Trïwch edrych ymlaen at hynny.'

'Mi golloch chi hogyn, do? Faint oedd 'i oed o?'

'Pump ar hugain.'

'Gawsoch chi bedair blynedd yn fwy na fi felly, do?'

Peidiodd popeth am foment, y cryndod cyfarwydd megis bylb ar fin chwythu.

Cododd Minnie. 'Well i mi fynd yn ôl.'

Cyn iddi gyrraedd y drws, llwyddodd Annie i alw ar ei hôl:

'Cofiwch fi ato!'

* * *

Sul ym Mehefin yn 1896 ac mi roedd Eluned yn chwyrlïo o gwmpas y tŷ, hosan am un droed ac esgid rolio ar ei throed gwta. Y gwaden gorcyn wedi'i esgymuno i gornel y gegin gan ei bod yn ddiwrnod o ddathlu.

Credai Eluned mai Henry Cyril Paget oedd perchennog gwreiddiol yr esgid rolio. Daeth ar ei thraws ar ei ffordd i'r Plas un bore. Gofynnodd i Mrs Pŵal beth i'w wneud â hi ac edrychodd honno'n hurt arni, gan fod yr etifedd bellach mewn ysgol fonedd ac yn rhy hen i'r fath deganau.

'Ga i 'i chadw hi, Mrs Pŵal?'

'Fel y dymunwch chi, Miss Humphreys.'

Gwyddai Annie a Gwynfor eu bod am hwyl os gwisgai Eluned yr esgid rolio. Byddai'n gyfle i ddawnsio a chanu ac Eluned yn haelach, anwylach ac yn fwy mwythlyd nag arfer, hyd yn oed. Roeddynt hwythau mewn hwyliau hefyd, yn edrych ymlaen at wythnos o ddathlu pen-blwydd Henry Cyril Paget yn un ar hugain.

'Dwi'n 'i gofio fo yn 'i goets.' meddai Eluned.

'Ac yn fflio drwy'r coed.' meddai Gwynfor, gan geisio tynnu arni.

'Stori Tada oedd honna.'

'Ddeudes i 'rioed fath beth!' protestiodd Bob Wmffras.

Roedd te parti a mabolgampau wedi'i drefnu ar gyfer y plant ac roedd Gwynfor i ganu 'Nant y Mynydd' mewn consart yn y Plas. Roedd Eluned wedi gwneud gwasgod a throwsus iddo'n un swydd, a dywedodd Annie wrtho:

'Gwatsia gachu dy hun yn y siwt newydd 'na ynghanol y bobol fawr.'

'Dim ots gen i amdanyn nhw.'

'Os bydd ofn arnat ti, sbïa ar Henry Cyril Paget, mae ganddo fo wyneb ffeind,' meddai Eluned.

'Sut medar rhywun fod yn ffeind ac yntau'n sowldiwr?' gofynnodd Annie.

Crychodd Eluned ei thalcen. Poenai am Henry Cyril bob eiliad pan fyddai o'i golwg a phur anaml byddai'n ei weld o gwbl bellach. Byddai'n startsio'i goleri cyn iddo ddychwelyd i'r ysgol a'r rheini mor uchel a chaled nes iddi bryderu y byddent yn codi briwiau dan ei glustiau. Yna'n ddiweddarach, ymunodd â'r Welsh Fusiliers er na allai yn ei byw ei ddychmygu'n filwr.

'Folantîr ydi o,' meddai'n bwyllog, 'a digon o waith bydd gofyn iddo gwffio. Os na wnaiff y Ffrancwyr ymosod, wrth gwrs. Ond os gwna nhw, mae Henry Cyril yn gallu siarad Ffrensh ac ella basa fo'n gallu dod i ddealltwriaeth hefo nhw cyn i neb orfod tynnu cleddyf na dim.'

Ymunodd Henry Cyril Paget â'r Fyddin Wirfoddol am fod ei dad wedi gwneud yr un peth ac er mwyn cael gwisgo iwnifform. Gwyddai y byddai hyn yn plesio pawb ac efallai'n gwneud iddo yntau ymddwyn yn agosach at yr hyn y disgwyliwyd ganddo. Sythai o flaen y drych yn ei diwnig coch, gyda sigarét rhwng ei fysedd meinion, yn syllu arno'i hun yn smocio'n gain. Rhoddodd ochenaid, tynnodd y diwnig a'i newid am rywbeth hirllaes o sidan gwyrdd.

'Ydi o'n siarad Cymraeg hefyd?'

'Nagdi, siŵr iawn,' meddai Gwynfor, gan roi taw ar y ddwy. 'I be fasa fo isio siarad Cymraeg?'

Syrthiodd wyneb Eluned wrth sylweddoli'r gwahaniaeth rhyngddi hi a'r etifedd. Ond nid oedd am ddigalonni.

'Ella bydd o isio dysgu ar ôl dy glywed ti'n canu.' Rhoddodd birwét ar ei holwynion a chofleidiodd Gwynfor. 'Tyrd rŵan, sut mae hi'n mynd – i ti gael practis.'

Canodd Gwynfor nes peri i Bob Wmffras, hyd yn oed, gydnabod, 'Dew, mae gan yr hogyn 'na lais.'

'Gei di anghofio dy de parti,' meddai Bessie Robaits. Gwylltiodd Annie, a hithau wedi gwneud ymdrech i fihafio ers wythnosau er mwyn cael mynd. 'A phaid â strancio – fyddi di ddim elwach. Mae'r 'tifedd yn wael.'

Eisteddodd Annie a syllu ar y bara ymenyn o'i blaen, gan dreulio'i siomiant.

'Ydi o'n wael iawn?'

'Roedd hi'n uffern o ffrae yn y Plas neithiwr, medda Magi. Y fo a'i dad, dyn â wŷr am be. Gododd o mo'i wely bore ma – deud nad oedd 'i goesa'n gweithio. Wedi pwdu, ddywedwn i. Braf ar rai'n gallu pwdu ac aros yn 'u gwlâu.'

Ond aeth y dathliadau'n eu blaen heb Henry Cyril Paget, gan mai annheg fyddai gwadu mymryn o hwyl i'r tenantiaid. Daeth y Marcwis ei hun i'r ysgol gyda'i drydedd wraig a rhoddodd anrheg i bawb.

'Jolly good!' cyfarthodd ac ysgwyd llaw Annie, nes ei bod hi'n jerian. Roedd golwg wedi syrffedu ar ei wraig, fel petai hithau'n cael dim ond 'jolly good' a'i hysgwyd drwy'r amser hefyd.

Enillodd Annie y ras sachau a chafodd chwe cheiniog gan y Marcwis. Teimlodd am unwaith ei bod wedi cael y gorau ar Gwynfor.

Rhoddwyd cwpan gydag arfbais y teulu arni i bob plentyn a rhwng John ac Annie, cafodd Bessie Robaits ddwy. Gosodwyd hwy ar y silff ben tân ac yno y buon nhw tan y dydd bu farw.

'Ma'r hen Farcwis yn well peth na'i fab o lawer,' meddai.

'Ga i gadw'r chwe cheiniog, Mam?'

'Na chei. Rhaid i mi gael rhywbeth i'ch cadw chi, a'ch tad fel mae o.'

Rhoddodd Gwynfor ei anrheg i Eluned, ond doedd fawr o hwyliau arni hithau chwaith. Daliodd y gwpan yn dendar a syllu ar yr arfbais, gan obeithio y byddai Henry Cyril yn goroesi i hawlio'i deitl.

'Cana fel yr eos nos fory,' meddai wrth Gwynfor. 'Cana nes y gwnaiff o dy glywed ti o'r llofft.'

Doedd dim rhaid i Eluned ddweud y fath beth. Ni allai Gwynfor beidio â chanu o'i orau a chanu'n dlws. Simsanodd ychydig pan ddaeth y trap i'w hebrwng i'r Plas ac yna pan welodd y neuadd uchel a'r bobl fonheddig. Teimlodd fel mul bach mewn stabl o geffylau rasio.

'Ond, mi ro'n i'n iawn pan ddechreuais i ganu.'

'Oeddat siŵr,' porthai Eluned.

'Sut beth ydi canu fel 'na, Gwynfor? Sut o't ti'n teimlo?' gofynnodd Annie.

'Mae hi'n anodd esbonio,' meddai.

Byddai ei ben yn clirio a phob nodyn o'r miwsig yn troi'n liw, a'i lais yn taro pob lliw yn ei dro nes i'w feddwl droi'n enfys.

'Ti'n wallgo wirion bost!'

'Nagdi,' meddai Eluned. 'Dawnus ydi o.'

Ceisiodd Annie ddychmygu llond pen o enfys a sylweddoli na allai byth ddeall Gwynfor, fwy nag y gallai byth ganu cystal ag o. Gwyddai fod gan Eluned hyd yn oed, fantais arni, gan fod ei phen hithau'n llawn o enfys, er na fedrai ganu'n debyg i ddim.

Trannoeth y cyngerdd, cododd Henry Cyril o'i wely, ei goesau'n gweithio'n wyrthiol. Gofynnodd am gipar ac uwd a mêl a dywedodd wrth bawb ei fod wedi clywed angel yn canu y noson gynt.

'A chdi oedd hwnnw, 'mabi gwyn i!' meddai Eluned wrth Gwynfor.

Roedd golwg ddwys ar Gwynfor. 'Ella,' meddai'n ofalus, 'y baswn i wedi gallu canu'n well os baswn i yn y sgwlrwm neu rywle felly.'

Ymchwyddodd Eluned gyda balchder a theimlai Annie awydd rhoi clets iawn iddo.

* * *

Erbyn diwedd yr wythnos, roedd Ernie dros y gwaethaf. Nora Williams, eu cymydog, ac nid Minnie ddaeth draw i ddweud. Roedd golwg boenus arni ac ofnai Annie'r gwaethaf.

'Mi fydd o'n olreit,' meddai Nora, fel tasa'n ddrwg ganddi na allai ddweud yr un peth am Cyril. 'Fydd o ddim yn ôl am dipyn, cofiwch, mae o dan doctor's ordors – plenty of bed rest.'

'Ydi o'n derbyn fisitors?'

Aeth Nora i benbleth drachefn. 'Ydi... am wn i.'

Gadawodd y siop ar duth i rybuddio Minnie.

Doedd waeth gan Annie am Minnie na'i hen feddwl chwerw erbyn hynny. Bu'n poeni'n ofnadwy am Ernie a phenderfynodd gau'r siop yn gynnar, prynu bocs o siocledi a hyrddio'i hun a'r da-das i dŷ Minnie, er mwyn dymuno'n dda iddo. Fel roedd hi'n gwisgo'i chôt, daeth rhywun i'r siop.

'Helô – gadael yn gynnar?'

'Oer ydi hi yma.'

Edrychodd Annie'n sur ar y cwsmer. Roedd wedi'i weld o gwmpas. Ffansïo'i hun, er ei fod yn ddigon hen i wybod yn well. Gwisgai gôt camel gyda gwregys a llabedi llydan, ei sgidiau'n sgleinio bob amser. Bali ffŵl, meddyliodd. Ar ôl cylchdaith hamddenol o lawr y siop, daeth at y cownter.

'S'gynnoch chi dronsia?'

'Mae ganddon ni *long johns*, *shorts*, neu *briefs*,' meddai hithau'n sych. Lledodd gwên fawr dros ei wyneb ac edrychodd arni'n ddigywilydd.

'Beth sy o'i le ar dronsia, deudwch?' Ac ar waethaf ei hun ac efallai am ei bod yn falch fod Ernie ar wella, gwenodd Annie. Brîffs fydd hwn eisiau, meddyliodd, ac mi roedd hi'n iawn: y rhai gorau.

'Tydi'r boi bach tew ddim o gwmpas heddiw?'

'Mae Mr Walters wedi bod yn ddifrifol wael.'

'C'radur bach... Ro'n i'n meddwl. Rhyfedd gweld dynes yn gwerthu tronsia. Dim gwahaniaeth gen i chwaith.'

'Dwi'n ddigon tebol, wyddoch chi.'

Colbar, meddyliodd a surodd tuag ato drachefn.

'Ydach wir,' meddai, gan bwyso ar y cownter. 'Dwi 'di clywed amdanoch chi.' Cyflymodd Annie i blygu a lapio'r dillad isaf, heb gymryd arni ddim. 'Je comprends que vous parlez Français?'

'Wi,' meddai Annie'n syth, gan obeithio nad oedd wedi ymateb yn gadarnhaol i rywbeth amheus.

'Neis cael twtsh o'r continental yn y dre 'ma.'

Ddeudodd Annie yr un gair. Cymerodd ei bres, rhoi newid iddo a gwenu'n fecanyddol.

'Au revoir – à bientôt!'

'A chitha hefyd!' a synnodd at ei sioncrwydd.

8

CROESO CYNDYN GAFODD Annie a'i Milk Tray. Edrychodd Minnie'n ddirmygus ar y bocs dan ei chesail. Syllodd Annie i fyw ei llygaid darbodus:

'Wnaiff mymryn o siwgr ddim drwg iddo'n ei wendid.'

'Llwyaid yn ddigon derbyniol mewn paned am wn i.'

Aeth y ddwy i fyny'r grisiau.

'Does ddim rhaid i chi aros, Mam,' meddai Ernie.

Roedd ystafell Ernie'n gul a di-aer. Eisteddai yn ei wely, o dan eiderdown binc, crys ei byjamas wedi'i gau at ei wddw. Dychmygodd Annie ei fam yn brwydro i'w gadw ynghau er gwaethaf ei dwymyn.

'Dwi 'di bod yn wael. Dwi 'di gweld petha mawrion.'

Sugnodd Annie olion y siocled o'r gneuan. Y rhai â chanol meddal oedd orau gan Ernie.

'Paid â dweud dy fod ti 'di cael tröedigaeth!'

'Dwi o ddifri. Ro'n i'n meddwl 'mod i am farw!'

'Taw, wnei di. Ti'n mendio rŵan.'

'Dwi'm isio'ch ybsetio chi na dim, ond rhaid i mi ddeud wrth rywun. Mi welais fy nghynhebrwng fy hun.' Daeth atgofion yn ôl i Annie, fe'i trechodd a dal i edrych yn dirion ar Ernie. 'Doedd neb yno. Dim ond Mam a'r Gweinidog.'

'O diar, doeddwn i ddim yno?'

‘Nag oeddech. Efallai fod Mr a Mrs Owen isio chi yn y siop.’

‘Yli Ernie, faint gwell wyt ti’n berwi hen lol fel ’ma?’

‘Mae hyn yn bwysig,’ meddai Ernie, gan sylweddoli nad oedd erioed o’r blaen wedi mynnu tynnu sylw at bwysigrwydd unrhyw beth a ddywedodd. ‘Dach chi’n gweld, fydda i byth yr un fath eto. Mi wnawn i rywbeth yn y byd i osgoi cael cynhebrwng fel ’na!’

Gan fod yr ystafell mor glos, y sgwrs mor angladdol a hithau mor hoff ohono, tynnwyd Annie i fyd rhesymeg ddryslyd Ernie. Mynnodd y byddai’n mynychu’i gynhebrwng doed a ddelo ac y byddai Mr a Mrs Owen yn siŵr o gau’r siop allan o barch.

‘Dach chi ddim yn dallt Annie. Rhaid i mi drïo denig rhywsut.’

‘Denig?’

‘O fan ’ma ac oddi wrth Mam!’ ac yna dalltodd Annie a gwyddai na allai ac ni fynnai ei ddarbwyllo.

‘Be ti’n feddwl ’i wneud?’

‘Wn i ddim – priodi, efalla…’

Tybiodd Annie fod hyn yn ymateb eithafol. Doedd hi erioed wedi gweld Ernie fel y teip i briodi, rywsut.

* * *

Fwy nag roedd Henry Cyril Paget a doedd ei briodas o’n fawr o lwyddiant. Bu’n briodas broffidiol, mae’n wir, ond byddai’n rhaid i Eluned, hyd yn oed, gydnabod mai peth ffôl oedd gadael gormod o bres yng ngofal Henry Cyril.

‘Ma hi’n ddel,’ meddai Eluned am y briodferch. ‘Ac er ei bod yn gyfnither lawn iddo, tydi hi ddim tebyg i Henry

Cyril. Gwallt melyngoch ganddi – yn ddigon tebyg i chdi, Annie.'

Gwridodd Annie a chwarddodd Gwynfor am ei phen hi.

Ychydig fisoedd ar ôl y briodas, bu farw'r hen Farcwis, yr unig un i ddotio ar dlysni Eluned. Er mai ar amrant y gwnaeth hynny a thebyg nad oedd Eluned ei hun ddim balchach o'r sylw. Roedd gan Annie ddiddordeb mawr yn y Mrs Marcwis newydd ond unwaith erioed y gwelsai hi. Eisteddai wysg ei hochr ar geffyl tal a gwisgai het galed gyda fêl dros ei hwyneb. Roedd hi'n fain a gosgeiddig, ond ni allai Annie weld digon i ddweud a oedd hi'n ddel na chwaith a oedd hi'n debyg iddi hi mewn unrhyw ffordd.

Doedd gan Mrs Marcwis fawr o feddwl o Lanedwen a chodai'i gŵr gywilydd arni, gyda'i bresantau diddiwedd a di-chwaeth. Dechreuodd amau mai iddo'i hun y byddai Henry Cyril yn prynu'r fath *jewels* a sent a sanau silc wedi'i brodio a doedd peth felly ddim yn iawn nac yn naturiol rhywsut. Er bod ganddo natur artistig, ni fynnai ddim o wir gelfyddyd na sylwedd, gwell oedd ganddo fanion bethau a sothach merchetaidd. A dweud y gwir, bu dyfodiad Pansy Bassett a'r gweddill yn gysur ac yn esgus iddi. Cymrodd Mrs Marcwis gyngor ei mam a cheisio, hyd orau'i gallu, anwybyddu'i gŵr. Treuliai fwyfwy o'i hamser yn Llundain gyda'i ffrindiau, gan adael llonydd i Henry Cyril drawsffurfio ei hun a'r Plas.

Adeiladwyd gwalciau ar ben waliau Plas Newydd, ond doedd gan Bob Wmffras fawr o feddwl o hynny.

'Am adael 'i stamp mae o, Tada,' esboniodd Eluned, er nad oedd y gwalciau o bwys iddi. Llawer pwysicach a mwy cyffrous oedd y gwaith a gâi ei wneud ar gapel y

Plas. Roedd Henry Cyril am ei droi'n theatr. O glywed hyn, rhybuddiodd Lisabeth Owen Gwynfor i beidio â mynd yn agos at y Plas a byddai'n ei holi'n ddi-baid am Eluned, gan ei bod hithau bellach dan amheuaeth ar ôl iddi ddweud, 'Faswn innau ddim isio cael un rŵm yn ddim ond capel chwaith. Pwy fasa'n gallu teimlo'n gartrefol hefo capel dan ei do?'

Roedd gan Henry Cyril feddwl mawr o Eluned. Cofiai'r ferch gloff a chwifiai'i llaw ato a thybio mai hi oedd y person ffeindiaf yn y byd. Bu'r ysgol yn uffern iddo. Hiraethai am Ffrainc a cheisiodd wasgu ychydig gysur o'i atgofion o Sarah Bernhardt yn y Comédie Français, ei phresenoldeb gwynias a'i llais arian. Pan fyddai hynny'n pallu, meddyliai am Eluned, ei 'hei' a'i henc, yn rhuthro i lawr llethrau'r Plas i geisio cadw i fyny â fo.

Pan orffennwyd y gwaith addasu, y goleuadau pinc ac aur wedi'u gosod, a'r seti glas a gwyn yn eu lle, ysgrifennodd Henry Cyril lythyr at Mademoiselle Bernhardt, yn ei gwahodd i berfformio yn ei Gaiety Theatre. Awgrymodd y ddrama *Phèdre*, ac yntau'n chwarae Hyppolyte.

'Qui est cet homme?' meddai hithau, gan dwtian a gollwng y llythyr i rywun arall ei luchio. Nid atebwyd y llythyr ac er mwyn sicrhau llewyrch a lwc i'w fenter, penderfynodd Henry Cyril fabwysiadu Eluned, yn hytrach na'r ddwyfol Sarah, fel ei fasgot.

Roedd actio allan o'r cwestiwn iddi, wrth gwrs. Roedd ei llais a'i phresenoldeb yn wan a byddai ei ' ww-yy' gofidus yn hagru unrhyw ddrama. Ond gwyddai Henry Cyril ei bod yn un dda am wnïo a gofalu am ddillad. Fe'i penodwyd yn *Wardrobe Mistress* cyn i'r un wisg nag actor gyrraedd, na'r un ddrama gael ei phenderfynu.

'You will need an Assistant,' meddai Henry Cyril ac Eluned yn syllu arno, gan feddwl mor dlws ydoedd ac yn dotio at ei fwstásh. Edrychai fel hogan ddel hefo mwstásh, dyna beth cywrain. 'Help, you will need someone to help you – helpio...' Dalltodd Eluned o'r diwedd ac awgrymodd hi Annie, oedd ar fin gadael yr ysgol, heb ddysgu fawr ddim yno.

Tra oedd Henry Cyril yn chwilio am actorion, gofynnodd i Eluned wneud ffrog iddo o fwslin gwyn, rhywbeth syml a phur, gydag ychydig o frodio o gwmpas y gwaelod, a'r bodis yn blaen er mwyn arddangos ei berlau. Darluniai beth oedd ganddo mewn golwg drwy chwifio'i freichiau a throi ei arddyrnau, Eluned yn cadarnhau yn y Gymraeg ac yntau'n ategu, er mwyn dod i ddallt ei hiaith.

'Gwyn at y llawr?'

'Gwyn – yes – bridal!'

Rhythodd Eluned arno. Smaliodd yntau ddal bwnsiad o flodau o'i flaen a cherdded yn osgeiddig, gan hwmian yr ymdeithgan briodasol.

'Ww-yy!' a chwarddodd y ddau hyd ddagrau.

Roedd y ffrog wen yn plesio Henry Cyril ac fe'i gwisgodd i gael tynnu ei lun. Llwythodd ei fwcs perl am ei wddf, o'i ên hyd at ei fogail. Rhoddodd wig fodrwyog ar ei ben a choronig fach fregus. Gosododd ei hun ar gadair yn yr ardd, gyda lili wrth ei draed. Ymestynnodd ei gefn gan osod ei ddwylaw tu ôl i'w ben, fel diemwnt mawr, ac edrychodd i lygaid y camera. Yn dywysoges o'r diwedd ar gynefin hynaws.

'Siani Flewog,' meddai Bob Wmffras, oedd yn gweithio nepell o'r olygfa. 'Be arall fedar rhywun alw dyn hefo mwstásh mewn dillad dynes?'

'Y fi wnïodd ei ffrog, Tada.'

'Mi fasa'n ddelach o lawer arnat ti.'

Ni wyddai Bob beth arall i'w ddweud dan y fath amgylchiadau.

'I be oedd o isio ffrog?' gofynnodd Annie ar ei diwrnod cyntaf fel Is Feistres y Gwisgoedd.

'I gael edrach yn ddel, mae'n siŵr.'

'Ond tydi dynion ddim i fod edrach yn ddel.'

Newidiodd Annie ei meddwl am hynny y foment y gwelodd Teddy Duvall. Ni sylwodd arno'n dod i lawr o'r trên, roedd yr olygfa honno'n rhy liwgar a chynddeiriog iddi allu hoelio'i sylw ar neb na dim. Cofiodd Mr Keith yn bloeddio;

'Where's this infernal castle?' a chael ei hebrwng at un o geir y Marcwis.

'Motor car!' gwichiodd rhywun arall. Ond erbyn hynny, roedd popeth yn un chwyrlïad o liw ac o Saesneg, yn sidan a melfed a phlu yn rhuo. Ac yna, wrth i ddrysau'r ceir a'r coetsys glepian, un ar ôl y llall, daeth tawelwch ac Annie'n amau'r fath weledigaeth, yn hiraethu'r amrant y trawsnewidiwyd gorsaf Llanfairpwll.

'Am bobol swnllyd,' meddai Gwynfor, oedd erbyn hynny'n gweithio yn yr orsaf.

'Fydd hi ddim yr un fath yma o hyn ymlaen,' meddai Eluned, ac Annie'n gwirioni wrth glywed rhywun hŷn yn cofleidio rhywbeth newydd.

Teddy Duvall oedd y cyntaf o'r cwmni i ymofyn cymorth Eluned ac Annie. Llamodd i'w gweithdy, gan chwifio pâr o drowsus. Am eu tynnu i mewn er mwyn dangos ei goesau siapus. Byddai Teddy'n ymfalchïo yn yr hyn a alwai ei 'physique'. Safodd yn stond pan welodd Annie.

'Hello there, shy Miss...'

'I'm not a sly fish!' meddai Annie.

A chwarddodd Teddy, nes iddi hithau gochi a drysu'n llwyr. Bu'n rhaid i Eluned gymryd rheolaeth o'r sefyllfa a hynny, druan ohoni, heb lawer o Saesneg.

'Dwi ddim yn lecio'r hogyn 'na,' meddai wedyn a phur anaml byddai Eluned yn dweud y fath beth. 'Mae o ar delerau rhy dda o lawer hefo fo'i hun.'

Doedd Teddy Duvall fawr o actor, na chanwr, ac mi roedd ei goesau siapus yn rhy stiff i ddawnsio, ond mi roedd o'n olygus ac roedd hynny'n ddigon i'r math o fywyd a oedd ganddo mewn golwg.

'Talentless toe-rag,' oedd dyfarniad awdurdodol Pansy. 'He's no good,' meddai wrth Eluned ac wedi cadarnhau nad oedd hynny'n dda i ddim, dechreuodd hithau borthi.

Pwdodd Annie dros ei phinnau, yn methu gweld sut yn y byd y gallai'r fath hawddgarwch fod yn ddiwerth. Edmygai bopeth am Pansy, heblaw am ei chasineb tuag at Teddy. Byddai'n gwylio'r ddau yn ymarfer ar y llwyfan, mor ddel a serchog gyda'i gilydd, Pansy'n troi ei pharasôl yn swil, Teddy'n ddiffuant a nwydus;

'Gwendolen! At last!' ac Annie'n cau ei llygaid a chodi'i hysgwyddau wrth ddychmygu ei hun yng ngwasgfa danbaid Teddy.

Agorodd ei llygaid wrth i'r olygfa orffen. Chwipiodd Pansy waelod ei sgert a throi ar ei sawdl gyda dirmyg. A Mr Keith yn erfyn arni gynnal ryw lun o serchogrwydd tan i'r llenni gau.

Doedd gan Teddy fawr o feddwl o Pansy ychwaith, 'no fun at all,' meddai wrth Annie. 'Not like you.' Hithau'n awchu am sylw ac yn cywilyddio'r un pryd ac yna'n gwylltio, gan na allai reoli'i gwrid na'i brwdfrydedd. Byddai'n ei galw'n 'Sprat', wincian a thynnu stumiau arni. Ymarfer sylfaenol oedd Annie iddo, yn union fel ei ymbil ar Pansy yn y ddrama. Ni chollai Teddy Duvall yr un cyfle i fynd drwy'i figmars. Bu'n fflyrtian ag Annie'n ddigon hir i Pansy ddysgu digon o Gymraeg i'w alw'n 'hen sinach' ac yn ddigon hir iddi rybuddio Annie i fod yn ofalus, gan ei bod hithau bellach yn 'young lady'. Tuchan yn sarrug a wnâi Annie, gan nad oedd ganddi obaith bod yn hynny heb ffrils a swmp Pansy.

Ar ddiwedd perfformiad o *The Importance of Being Earnest* a gan ddiystyru unrhyw werth mewn argyhoeddiad, gwelodd Teddy ei gyfle. Tynnodd fflasg o frandi o boced ei drowsus tyn a chynnig llymaid i Annie, gan ei hannog i fod yn 'sport'. Fyddai neb ddim callach. Roedd y cwmni i gyd yn y theatr, yn cael cip ar ddawns newydd y Marcwis a byddai hwnnw'n eu cadw tan berfeddion, yn eu holi'n union pa mor ysblennydd ydoedd.

'Olreit,' meddai Annie, gan fachu'r fflasg a chymryd llowciad. Daeth â dagrau i'w llygaid, ond ni chymerodd arni ddim. 'Neis,' sychodd ei cheg a phasio'r fflasg yn ôl i Teddy.

'By jingo!' meddai yntau, wedi synnu braidd nad oedd angen llawer o baratoi arni. Yna cydiodd yng nghanol Annie gyda'i ddwy fraich a'i throi o gwmpas. Hwpiodd hithau.

'Shhh...' meddai Teddy, gan gynnig mwy o frandi iddi. 'Shhh...'

Eisteddasant ar lawr yr ystafell wisgoedd, yn yfed a phwffian chwerthin. Daeth miwsig y ddawns glöyn byw o'r llwyfan a dechreuodd Teddy ddynwared y Marcwis, gan fflapian ei freichiau a rowlio'i ben, dan fwmian, 'rŵbs, saffis, mwcs, mods... mmm – yyh!' Teimlai Annie'n anghysurus er gwaethaf cynhesrwydd y brandi ac agosatrwydd Teddy. Meddyliodd am Eluned, cododd yn sydyn a simsanodd. Gafaelodd Teddy ynddi a cheisiodd hithau wingo'n rhydd.

'You little tease!' chwarddodd.

'Teddy toe-rag Duvall, this takes the bleedin' biscuit!'

Roedd Pansy yn y drws a golwg y fall arni. Gollyngodd Teddy Annie o'i freichiau a chyn i'r un ohonynt allu amgyffred dim, lluchiodd Pansy ddwrn o dan ên Teddy. Gyda chnoc wag, fe'i lluchiwyd wysg ei gefn yn fflat i ganol y twmpath dillad budron.

'You're finished, Duvall,' meddai Pansy dros ei hysgwydd, gan ysgubo Annie o'i blaen.

'My dear, Miss Roberts,' meddai Mr Keith, gan ystumio arni i eistedd yn ei swyddfa. Holodd hi am Teddy a dywedodd Annie ei fod wedi rhoi diod ddrwg iddi a'i siglo o gwmpas a'i fod wedi gwneud hwyl am ben y Marcwis. Dyna'r oll. Rhoddodd Mr Keith ei benelinoedd ar y ddesg a phwyso ymlaen ati.

'Mr Duvall is a very bad man, Miss Roberts. His Lordship has dismissed him and I'll see to it that he'll never work in this business again.'

Bu bron i Annie ddweud, 'bechod', ond caeodd ei cheg. Gwyddai fod gan Mr Keith well pethau i'w gwneud na chadw llygaid ar Teddy Duvall a byddai hwnnw'n siŵr o ffeindio rhywbeth neu rywun i'w gadw mewn brandi a throwsusau tynion. Teimlodd Annie ei bod bron cymaint o hogan â Miss Bassett wrth adael swyddfa Mr Keith a hynny heb ennill yr un owns na gwisgo amdani'r un ffril na phluen.

Roedd Eluned yn benwan gan ofid ac edifeirwch. Beiai

ei hun fod Teddy Duvall wedi ceisio cymryd mantais ar ei ffrind. 'Mae arna i ofn na wn i ddim am betha fel 'na, Annie fach.' A chyn iddi orfod codi cywilydd arni'i hun yn esbonio paham, torrodd Pansy ar ei thraws;

'You're better off out of it, dear.'

Yna, dywedodd wrth Annie am osgoi dynion ffals. O'i phrofiad hi, dynion del oedd y rhain at ei gilydd. Gwrandodd Annie a phorthai Eluned wrth i Pansy dantro yn erbyn dynion del, hen ac ifanc ac ambell un hyll. Cynghorodd Annie i chwilio am *gentleman*; rhywun a fyddai'n prynu blodau a phryd da o fwyd iddi ac nid swig o frandi ac a fyddai'n ei danfon hi adref, ysgwyd ei llaw a dweud, 'I've had a charming evening.'

Gofynnodd Annie a oedd Pansy'n nabod rhywun fel yna.

'Fat chance!' meddai.

'Paid â bod yr un fath â fi,' oedd cyngor Eluned a Pansy, heb fawr o feddwl mor odidog oedd eu bodolaeth ac mor oleuedig eu presenoldeb.

Buan yr anghofiodd Annie iddi wirioni cymaint ar Teddy Duvall. Chwalwyd ei gyfaredd o'i weld yn un twmpath ynghanol y golch, yn crudio'i ên. Edrychai Frank a'i sbectol dynn a'i lygaid pwfflyd yn llawer gwell peth mewn cymhariaeth. Dim rhyfedd iddi ei briodi. Rhwng diffyg profiad Eluned, gormodedd Pansy a chwerwder Bessie Robaits, lluniodd Annie syniad simsan o'r cymar delfrydol – rhywun a oedd yn saff ac yn *gentleman*. Doedd ganddi hi, nac Eluned, na Pansy fawr o syniad beth oedd peth felly, ond dywedodd Bessie y byddai Frank yn ei thrin fel Roialti. Ac os nad dim arall, mi roedd Frank, gyda'i flodau a'i gadw mi geis, ei de a'i sgons, yn ddigon parchus ohoni.

Dim rhyfedd ychwaith, meddyliodd wrth gofio'r ddrama, na allai alw Ernie'n Ernest.

* * *

'Pwylla, Ernie,' meddai ar ôl seibiant. 'Paid â rhuthro i ddim a chditha'n dal mewn gwendid.'

'Down i ddim o ddifri am briodi. Sut fedrwn i fod. Dwi'n nabod neb.'

'Dyna 'di'r cam cynta. Mwynhau dy hun, mynd allan mwy a pheidio bod yn rhy sgut i blesio neb, gan gynnwys dy fam.'

Disgynnodd ei wyneb a gwyddai Annie nad oedd ei wroldeb wedi cael cyfle i ennill tir ar ei ddyhead. Tawelodd yntau wedyn, fel petai ganddo gywilydd o'i refru. Pigodd ambell i dda-da a'i droi'n araf o gwmpas ei geg.

Soniodd Annie am y siop; 'Tydi hi ddim 'run fath yna hebddo ti.'

'Nagdi wir?'

'Pawb yn holi amdanat ti ac yn cofio atat ti.'

'Pwy?'

'Mr a Mrs Owen, wrth gwrs – maen nhw'n deud eu bod nhw am alw i dy weld ti'n o fuan.' Roedd golwg ddigalon ar Ernie. 'A'r cwsmeriaid i gyd.'

'Pwy felly? Dach chi'n gweld be dwi'n feddwl? Waeth i mi heb â bod yma o gwbl!'

'O taw, wnei di!' brathodd Annie ac edrychodd Ernie'n llywath arni ac ymddiheuro. 'Roedd y dyn côt camel yn holi amdanat ti.'

'Now-How? Mae o'n gwsmer da iawn.'

'Ro'n i'n amau.' Pigodd Annie fymryn o wlaniach oddi

ar ei sgert a'i rwbio'n ddifeddwl rhwng ei bys a'i bawd. 'Pwy ydi o felly?'

'Now-How am wn i. Felly mae pawb yn 'i nabod o. Arfer bod ar y môr. Ffansïo'i hun yn dipyn o 'ladies' man', medda Mam. Er dwn i ddim, chwaith. Mae o'n ddigon clên hefo mi.'

'Dipyn o golbar ro'n i'n meddwl,' meddai Annie.

'Mae o'n un handi am drwsio petha, meddan nhw.'

'Wn i ddim pam mae o angen y tronsiau gora, felly.'

'O Annie, werthoch chi rioed ddillad isa i Now-How!'

Roedd Ernie'n siglo o ochr i ochr, gyda'i ddwy law dros ei geg. Gwylltiodd Annie ychydig, ond gwrthsafodd y demtasiwn i'w atgoffa o'i weledigaeth gynhebryngol.

9

NI WEITHIODD ANNIE'N galed iawn yn ystod y cyfnod a dreuliodd yng Ngaiety Theatre y Plas, ond dysgodd lawer mwy nag a wnaeth yn yr ysgol. Drwy holi Pansy, dysgodd yr hanfodion na fyddai neb yn meiddio'u hystyried yn bwysig, sef sut i edrych ar ôl ei hun mewn byd o ddynion barus, a'r rheiny'n ddwylo i gyd. Dangosodd Eluned iddi sut i hemio a gostwng, tynnu dillad i mewn a'u hehangu. Ac mi roedd galw am ehangu gwisgoedd Pansy, gan iddi wledda'n helaeth ar fwydydd fferm a da-das. Y toreth o luniaeth a fyddai wedi bod y tu hwnt i'w holl obeithion wrth iddi gael ei magu yn slymiau Bermondsey.

Fel y daeth Pansy i gynefino â'r cyfuniad o fwyd y werin a *violet creams*, felly y daeth llygaid a bysedd Annie'n gyfarwydd â melfed, sidan a les, eu gorweddiad a'u llif a pha rai fyddai'n pefrio ac yn sgleinio o dan y goleuadau. Wrth i Mrs Marcwis dreulio llai o amser gyda'i gŵr a'i adael yn rhydd i wario, yna pur anaml byddai angen i Eluned na hithau lunio gwisg o'r newydd. Deuai gwisgoedd i'r Plas yn wythnosol, mewn bocsys mawr gwynion o Angels yn Shaftesbury Avenue, Llundain. Byddai'r ddwy yn neidio atynt a chrafangu'r rhubanau a'r papur sidan i ddatgelu eu trysorau. Dychmygodd Eluned Shaftesbury Avenue fel stryd fawr lydan yn llawn o angylion.

'Meddylia mewn difri, Annie, yr holl angylion 'na'n rhoi eu hadenydd o'r neilltu i gael gwisgo petha fel 'ma!'

Ni wyddai Annie a oedd Eluned yn hollol o ddifri, yntau ysmaldod y theatr a'i meddiannai o bryd i'w gilydd. Ond, pan aeth Gwynfor i'r coleg yn Llundain, dywedodd Eluned wrth Annie y byddai'n gysur iddi feddwl amdano'n berffaith gartrefol ymysg ei dylwyth ar Shaftesbury Avenue.

Hawdd oedd credu i'r gwisgoedd hynny ddod o fyd arall. Roedd pob un yn ffit i frenin, hyd yn oed os nad i frenin y'i bwriadwyd. Gwisgwyd y tlodion mewn carpiau ysblennydd, lluniwyd gwisg mynach o'r brethyn meinaf a siglai clychau arian o gap y ffŵl. Doedd dim rhaid i Annie wneud dim, ond eu hongian yn ofalus a sicrhau eu bod yn ffitio'r actorion. Treuliai weddill ei hamser yn syllu a gwrando, yn gwneud te i Pansy, tywallt wisgi i Mr Keith a thocio'i sigars.

Llenwai Eluned ei hamser sbâr yn gwneud blowsiau i Pansy ac yn trimio'i hetiau â rhubanau llydan a rhosod sidan. Tua'r un cyfnod, gydag amser ar ei dwylo a'i phen yn llawn gogoniant, mentrodd Eluned hithau wisgo mewn modd oedd yn cyd-fynd â'i chynefin swagar. Edrychai fel dynes oedd wedi meddwi ar liwiau, ac wedi codymu ym masged ddillad rhyw Dduges loerig. Byddai'n lapio trimins o frethyn aur ac arian am ei phen a'u clymu'n fô mawr uwch ei thalcen. 'Mae'n cadw 'ngwallt i o'r ffordd tra dwi'n gweithio,' esboniodd, er ei bod yn amlwg y byddai crib ac ambell i bin yn cyflawni'r un peth yn llawer twtiach. Fel Henry Cyril arddangosai hithau chwaeth am addurn. Ond yn hytrach nag aur a cherrig gwerthfawr, byddai'n cloncian dan bwysau mwclis o bren a chregyn, neu, pan fyddai am greu effaith ysgafnach, ambell gadwyn o lygaid y dydd. Ni phoenai fawr pan fyddai'r rhain yn amharu ar ei gwaith, rhoddai sgwd iddynt dros ei hysgwydd, gan adael iddynt hongian dros ei chefn, wrth iddi badlo'r peiriant gwnïo. Gyda'i mwclis, ei chadachau disglair a'i ffrogiau wedi'u llunio o weddillion y gweithdy, byddai Eluned yn ennyn parch di ben draw'r sawl a weithiai yn y Gaiety Theatre. Gwyddai'r rheiny – a phawb arall – na allai neb a wawdiai Eluned byth ennill ffafriaeth y Marcwis. Bu'n rhaid i Bessie Robaits, hyd yn oed, gadw ei barn bod 'yr hen gorcwaden 'na fel jymbl sêl' yn gyfrinach o fewn waliau Ty'n Clawdd.

Roedd gan Annie ei chyfrinach hefyd. Enillai lawer mwy o gyflog na'i mam. Doedd gan y Marcwis fawr i'w wneud â merched y londri a heb glywed dim i'r gwrthwyneb, talai Mrs Pŵal yr un cymun iddynt. Cofiodd Annie am ei mam yn cymryd y chwe cheiniog a enillodd yn y ras sachau a phenderfynodd y byddai'n rhoi cyfraniad gweddus iddi bob wythnos, gan gadw'r rhan helaeth mewn hen dun dadas a guddiai yn ei bocs gwnïo yn y Plas. Pan lenwai'r tun, byddai Annie'n cymryd seibiant a mynd i Fangor i wario pob ceiniog ar hufen iâ a chribau cragen crwban, er mwyn gosod ei gwallt yn un twmpath ar ei phen, yr un fath â Pansy.

Eluned roddodd y tun iddi a chysurai ei hun mai teithiau Annie i Fangor oedd un o'r ychydig gyfleoedd i gadw cyswllt â Gwynfor.

Sicrhaodd Enoc swydd i Gwynfor yng ngorsaf Llanfairpwll, lle gallai gadw llygaid arno. Roedd yn amlwg nad oedd yntau'n hapus yno. Gwisgai iwnifform, ond pres ac nid aur oedd ei fotymau. Edrychai'n gynyddol ddigalon bob tro y byddai Annie'n ei weld.

'Wyt ti isio rwbath o Fangor, Gwynfor?'

'Fedra i gael o fy hun – dwi'n gweithio, tydw?'

Roedd cael Enoc a Gwynfor yn gweithio yn yr orsaf yn destun balchder mawr i Lisabeth Owen. Gyda'r Plas yn mynd i gythraul, roedd gweithio ar y rheilffordd yn beth buddiol a pharchus. Credai, fel y gwnâi Bessie Robaits, y bu dirywiad mawr ers marwolaeth yr hen Farcwis a bod ymddangosiad ac ymddygiad diurddas Eluned druan yn arwydd amlwg o'r niwed a'i raddfa.

'Sut mae Gwynfor? Ydi o'n dal i ganu?' gofynnai Eluned ar ôl tripiau Annie i Fangor.

'Mae 'i lais yn torri, medda fo.'

'Hidia befo – mi ddaw 'i lais yn ôl, yn well nag o'r blaen, gei di weld ac wedyn, mi gaiff ddod yn ôl aton ni ac i'r theatr i ganu!'

Edrychai Annie ymlaen at hynny hefyd. Y Plas a'r theatr oedd ei byd bellach a phenderfynodd y gallai oddef rhannu mymryn o hyn gyda Gwynfor. Yn wahanol i Dy'n Clawdd ac i gartref Lisabeth ac Enoc, doedd y Plas ddim yn gynefin a weithredai ar waharddiadau, nag ar eiriau megis 'paid' a 'taw'.

Un bore, casglwyd yr actorion a'r criw ynghyd, gan eu gorchymyn i eistedd yn rhesi ar gadeiriau'r theatr. Codwyd y llenni ar Henry Cyril Paget, yn edrych i fyny'n ymbilgar at y sbotolau uwch ei ben. Rhoddodd ochenaid ac wrth i'w fynwes godi a gostwng, dallwyd pawb gan ei ddiemwntau.

'My dear wife,' meddai. 'Trist, trist!' llafarganodd, 'has filed for divorce…' Edrychodd Annie at Pansy am ymateb. Plyciodd honno ei phen naill ochr, fel na phetai'r newyddion o unrhyw syndod iddi. Syllodd Eluned ar ei dwylo'n gorwedd ar ei glin.

Gollyngodd y Marcwis ei ben ar y gair 'divorce' ac

oedodd rai eiliadau cyn dyrchafu ei olwg drachefn at y goleuni. Cododd ei lais: 'Friends, cyfeillion; ymlaen! We shall go on. The Theatre lives!' Curodd pawb eu dwylo, suodd y Marcwis ei ben yn urddasol a gwylaidd tuag atynt a gyda phlwc o sidan hylifol, diflannodd i'r asgell, megis chwa o awel Ebrill.

Gyda phawb yn cymeradwyo a bloeddio 'bravo!' camodd Mr Keith ymlaen yn ei siwt dyn syrcas, yn chwifio'i sigâr, ond yn gwybod nad oedd ganddo unrhyw obaith hoelio'u sylw cystal â'r Marcwis.

'You heard His Lordship,' gwaeddodd, 'the show goes on!'

'Non consummation,' meddai Pansy, oedd y rheswm dros yr ysgariad a beth bynnag oedd hwnnw, roedd yn brawf ychwanegol iddi mai *gentleman* oedd y Marcwis. Flynyddoedd wedyn, gofynnodd Annie ystyr y gair i Frank a chwarddodd lond ei bol o glywed yr ymateb.

'Beth sydd mor ddigri am hynna?' gofynnodd Frank, yn fwy diniwed a di-glem na fu Annie erioed.

Prin y gwelodd neb golli Mrs Marcwis a dechreuodd yntau wario'n helaethach nag erioed o'r blaen. Teimlai rhai o'r gweithwyr yn dawel bach eu bod yn cael eu talu i wneud fawr o ddim. Doedd dim angen golchi dillad y Marcwis, gan na wisgai'r un eitem fwy nag unwaith, gan gynnwys dillad isaf. Doedd gan y gweision stabl ddim i'w wneud ond bwydo a brwsio'r ceffylau. Porai'r rheiny gan ymbesgi'n braf, yr un fath yn union â Pansy. Ceir ac nid meirch âi â bryd Henry Cyril, gan eu bod yn llawer cyflymach a drutach. Prynodd fwy ohonynt yn dilyn ymadawiad ei wraig a gosodwyd gwasgwyr sent ar bibellau egsôst pob un. Caniatawyd i rai o'r gweision ddysgu sut i'w gyrru a chawsant iwnifforms glas a chapiau pig gloyw yn unswydd. Byddent yn ymarfer gyrru'r cerbydau'n afradlon ar hyd y lonydd cefn, gan ganu'u cyrn yn ddi-baid ac arogleuon Patchouli'n hongian yn drwm yn yr aer ar eu holau.

* * *

'Roedd Now-How yn holi amdanoch chi Annie,' meddai Ernie gyda mwy nag arfer o'i gymysgedd o swildod a brwdfrydedd. Anwybyddodd Annie'r gosodiad. 'Ydach chi'n meddwl ei fod o'n eich ffansïo chi?'

'Welwn i ddim bai arno,' meddai Annie.

Ond doedd Now-How ddim yn ddyn i adael ei ffawd yn nwylo trwsgwl Ernie Walters ac wythnos yn ddiweddarach aeth i fyny grisiau'r Golden Eagle, i'r bau nad oedd yn addas nac yn rhoi croeso i ddynion, heblaw am gyfnod cwta cyn y Nadolig. Fel o'r blaen, cymerodd ei amser, gan fodio'r ffrogiau a'r hetiau'n anweddus o wybodus.

'Fedra i eich helpu chi?' gofynnodd Annie, yn union fel petai'n gweini anghenion Mrs Tudor-Jones.

'Helô, dan ni'n cwrdd drachefn. Isio prynu het ydw i – i ddynes, wrth gwrs.'

'Sut un ydi'r *lady* dan sylw?'

Chwaethus,' meddai Now. 'Un sy'n gwerthfawrogi'r gorau. Un pryd golau, dwt, siapus…'

'Tydi'r siâp ddim yma nac acw wrth brynu het.'

'Olreit. Beth fasach chi'n ei gynghori?'

Wedi deall mai het goch, neu las efallai oedd ganddo mewn golwg, dewisodd Annie ddwy o bob lliw iddo. 'Mae'n anodd dweud,' meddai yntau, gan syllu ar yr hetiau, 'heb eu gweld nhw ar rywun. Tybed a fasech chi'n fodlon bod yn *fannequin*?'

Rhoddodd Annie'r het goch ar ei phen, gan unioni'r ongl yn nrych y cownter. Trodd at Now.

'Del iawn,' meddai.

'Pryd golau ddeudoch chi? Efallai byddai glas yn well, *brunettes* sy'n edrych orau mewn coch.' Estynnodd am yr het las roedd â'i bryd arni. Yn gelfydd, gosododd hi ar ei phen, gan roi plwc iddi dros un llygad.

'Gwell fyth! Personne ne vous a dit que vous ressemblez à Greta Garbo?'

Ddeallodd Annie ddim o'r hyn a ddywedai, heblaw am Greta Garbo. 'Wn i ddim be mae neb yn 'i weld ynddi fy hun,' meddai, gan obeithio byddai hynny'n cyfarch pob posibilrwydd.

'Honna di'r het,' meddai Now. 'Na, peidiwch â'i lapio hi, rhowch hi'n ôl ar eich pen. Dwi isio i chi ei chael hi – ar yr amod y dewch chi i'r pictiwrs hefo mi nos Sadwrn.'

Roedd Annie'n hanner disgwyl hyn a gan nad oedd am fod yn gaeth i unrhyw amod, gosododd hithau un: 'Diolch; mi fyddwn wrth fy modd, ond rhaid i minnau fynnu bod Mr Walters Menswear yn dod hefo ni.'

Chwarddodd Now, gan ryfeddu at y fath ddêt. Gwylltiodd Annie braidd, am na roddai'r argraff bod gwahaniaeth yn y byd ganddo.

Doedd Ernie ddim mor siŵr a methodd weld difyrrwch y sefyllfa. 'Dydach chi ddim isio fi hefo chi, fel cwsberan.'

'Be ti'n feddwl ydw i, Ernie? Dynes o f'oed i. Does gen i ddim bwriad sleifio i'r seti cefn hefo'r hen sglyfath!'

'Pam ddaru chi gytuno, ta?'

'Am 'mod i isio dy weld ti allan ar nos Sadwrn fel pob

hogyn arall ac fel 'ma, does dim rhaid i ti ddeud wrth dy fam dy fod ti'n mynd i'r pictiwrs hefo mi.'

'Dwi'n gweld be sy gynnoch chi rŵan, Annie. Mae Mam yn ofnadwy o ddrwgdybus. Be di'r ffilm?'

'Rhywbeth hefo Norma Shearer. Dwi'n meddwl y gwnei di lecio Norma Shearer.'

'Be ddeuda i wrth Mam?'

'Dŵad,' meddai Annie gan duchan, 'dy fod ti wedi sbïo ar angau a dy fod am ddechra byw.'

Ymateb Minnie i hyn, fel i bopeth arall a dynnai'n groes i'w disgwyliadau, oedd rhuo crïo dros bobman. Manteisiodd Ernie ar y diffyg gwaharddiad penodol ac aeth allan drwy'r drws cefn, gan addo bod adref erbyn deg.

Roedd Ernie a Now-How yn disgwyl am Annie yng nghyntedd y pictiwrs a golwg drwstan ar y ddau, dwylo Now yn ddwfn ym mhocedi ei gôt camel ac Ernie'n sipian *choc-ice*.

'Ydw i'n hwyr, hogia?' holodd Annie'n dalog.

'Dim o gwbl,' meddai Now.

'Mae Mr Owen wedi prynu *choc-ice* i mi,' meddai Ernie ac edrychai Now yn anghysurus dros ben.

'Wyddwn i ddim mai Mr Owen ydach chi,' meddai Annie, gan ychwanegu mai 'Now-How-Ow' oedd ei enw llawn a chwerthin. Tynnodd Now un llaw o'i boced a chyflwyno bocs o Maltesers iddi a bu'n rhaid iddi hithau ddiolch iddo'n raslon.

Eisteddodd Annie rhwng Ernie a Now. *Marie Antoinette* oedd y ffilm ac er bod y gwisgoedd a phresenoldeb Tyrone Power yn ei phlesio, nid oeddynt yn ddigon i dynnu ei sylw oddi ar ymatebion Ernie a Now. Roedd Ernie wedi delwi mewn rhyfeddod. Yng ngoleuni cul y taflunydd, sylwodd

Annie fod pob emosiwn a gyflëwyd ar y sgrin yn cael ei adlewyrchu ar ei wyneb a thua'r diwedd, talodd y deyrnged uchaf drwy bowlio ei ddagrau mud. Diflastod oedd ar wyneb Now. Gwingai o bryd i'w gilydd a rhoi ambell duchan. Yr un pryd ag roedd Ernie'n mopio'i ddagrau, rhoddodd bwniad i Annie a sibrydodd, 'sgoth.' Trodd Annie ato a rhoddodd wên fach gynnil, gan ei bod yn cytuno â'i ddyfarniad, ond yn awyddus i osgoi ybsetio Ernie.

'Sothach pobol fawr,' meddai Now ar ddiwedd y ffilm. 'Well gen i rywbeth hefo mwy o fynd, neu fymryn o hwyl.'

'Roedd hi'n lyfli,' sibrydodd Ernie, wedi ymgolli gormod yn serenedd Norma Shearer yn nannedd trallod. Cododd Now ei ysgwyddau mewn syndod ac yna trodd at Annie.

'Ga i dy ddanfon di adra Annie?' Ysgytiwyd Annie wrth glywed yn ddirybudd ei henw cyntaf a chael ei galw'n 'chdi'. Ond ni theimlai unrhyw dramgwydd. Fel *gentleman*, roedd Now wedi cyflwyno da-das a chynnig mynd â hi adref. Ga i weld, meddyliodd, pa ochr i'r rhiniog mae o'n fodlon ffarwelio â mi.

'Mi ddo inna hefyd,' meddai Ernie. Yn rêl cwsberan.

'Diolch hogia, ond does ond rhaid i ni fynd rownd y gornel...'

'Beth am nos Sadwrn nesa?' gofynnodd Now. 'Mae 'na ffilm James Cagney *Angels with Dirty Faces*. Dwi'n lecio fo, mwy o fywyd ynddo fo na'r het wirion llygada croes 'na welson ni heno.'

Anwybyddodd Ernie'r sarhad ar Norma Shearer ac at bwy yr estynnwyd y gwahoddiad. Derbyniodd ar unwaith, gan holi, 'beth amdani Annie?'

'Pam lai,' meddai hithau'n ddistaw, gan ychwanegu, 'dw' innau'n lecio Cagney hefyd.'

Doedd hi'n fawr o bellter o'r pictiwrs i ddrws yr Avondale, ond bu'n ddigon i bawb sylwi ar y triawd hynod yn gadael gyda'i gilydd. Llwyddodd Annie drachefn i roi testun siarad i bobl y dref, rhywbeth blasus a brofociai drwy osgoi bod yn sgandal diamheuol.

'Gwarthus,' meddai rhai, heb allu dweud paham yn hollol.

'Mae'n siŵr,' meddai eraill, 'bod y tri ohonyn nhw'n ddigon unig.'

10

PINC OEDD LLENNI'R Gaiety Theatre; llathenni ar lathenni o felfed wedi crychu'n fân a dwfn, gyda tsieiniau trwm ac ystwyth wedi'u gwnïo i'r hemiau i'w trymhau a border o frocêd a thoslau aur i wreichioni yn y goleuni wrth iddynt agor a chau. Tu ôl i'r rhain bodolai Eluned a Henry Cyril Paget fel y mynnent. Eluned yn teyrnasu'r ystafelloedd gwisgo a Henry Cyril ar ei lwyfan, yn trochi yng ngwres y goleuadau ac yn magu rhyw nerth a bywyd na allai fyth ei ennyn o oleuni dyfrllyd dydd. Creai'r llenni fyd bach cyfyng a ganiatâi gyfeillgarwch rhyngddynt a thu hwnt roedd eu cynulleidfa – pobol a edrychai'n dynerach na'r arfer arnynt ill dau. Byddai Henry Cyril yn ffynnu ar eu sylw ac ar faldod Eluned, na fynnai ddim mwy na darbwyllo pawb i'w garu'n ddiderfyn, fel y gwnâi hithau.

Ond ni chafwyd y fath yna o gynulleidfa i'r cynhyrchiad cyntaf. Yn wir, roedd amheuaeth ar un cyfnod a fyddai cynulleidfa o gwbl ar ei gyfer. Gwrthododd cyfoedion Henry Cyril o'i ddyddiau ysgol a'r *Regiment* ddod yr holl ffordd i Sir Fôn i dystio i'w ogoniant, er iddo anfon gwahoddiadau cywrain atynt ar hancetsi sidan, gyda border o frodwaith aur. Wrth i'r ymddiheuriadau gyrraedd, lleisiodd y Marcwis ei amheuaeth mai'r ddrama, *The Importance of*

Being Earnest, oedd ar fai a bod rhyw felltith anffodus ar ei hawdur.

'Mr Wilde druan,' meddai Eluned. Ond Mr Wilde neu beidio, penderfynodd na fyddai ymdrechion y cwmni'n mynd yn ofer, na'r Marcwis yn cael ei anwybyddu. Plediodd ar Mrs Pŵal i berswadio gweithwyr y Plas i ddod i weld y cynhyrchiad. Daeth dwsin yn y diwedd, er bod y rheiny'n gyndyn o ddod, ond yn rhy wylaidd i wrthod. Eisteddent ar gadeiriau sidan y theatr fel petaent mewn capel, gan wybod yn iawn mai dyna bwrpas gwreiddiol yr ystafell. Ac wrth i'r llenni gau am y tro olaf, teimlent yr un rhyddhad a gaent ar ddiwedd pregeth hir, o gael ymestyn eu coesau a chythru i roi'r tegell ar y tân.

'Dim byd ond geiriau,' meddai Bessie Robaits, 'a'r rheiny'n gwneud dim mwy o sens nag mae Arthur yn ei ddiod.'

Yn dilyn ymadawiad ei gynulleidfa lesg, cyflwynodd Henry Cyril ei ddawns glöyn byw i'r actorion a swynwyd pawb heblaw am Annie a Theddy Duvall wrth gwrs, gan fod y ddau, fel y cofiwn, yn rhy brysur yn slotian brandi a phiffian chwerthin yng ngweithdy Eluned.

Bu'r Marcwis yn gweithio ar ei ddawns ers wythnosau, yn daer a diffuant, gyda neb ond Mr Keith ac Eluned i fynegi barn a chynnig awgrymiadau. Yn ystod yr ymarferion hyn ac wrth bwytho'i adenydd sidan, ffurfiodd Eluned weledigaeth newydd o bwrpas a natur y Gaiety Theatre. Byddai'r llwyfan, fel straeon Bob Wmffras am y babi, yn gyfrwng i drawsnewid a lliwio'r gwirionedd. Byddai pawb yn dawnsio a chanu – ambell un yn gallu fflio. Ac yn y diwedd, hwyl a daioni fyddai'n cipio'r dydd.

'Pantomime!' ebychodd Henry Cyril, wrth i Eluned

geisio esbonio, ei dwylo'n fflapian a'i breichiau'n chwifio. Ymunodd yntau â hi am ychydig, gan ddawnsio o'i chwmpas a chanu ffa-la-la. Yna gafaelodd yn ei dwylaw a'u hysgwyd, gan fendithio rhagluniaeth na welsai Mademoiselle Bernhardt hi'n ffit i ymuno â'r cwmni, gan nad oedd hi'r fath o actores i slapio'i chlun na hedfan o gwmpas ar weiars.

Ond nid Teddy Duval oedd yr unig aelod o'r cwmni i adael ar ôl y cynhyrchiad cyntaf. Gadawodd y goreuon hefyd, y sawl a oedd o ddifri ynglŷn â'u crefft, y sawl na allent weithio heb gynhaliaeth cynulleidfa. A beth bynnag, meddai rhai drwy'u dannedd, profodd y ddawns glöyn byw nad oedd lle i'r un seren ond Henry Cyril Paget yn ffurfafen y Gaiety Theatre. O'r cwmni gwreiddiol a gipiwyd o'r Victoria Palace yn Llandudno, Pansy, Mr Keith a Billy Baldini oedd yr unig rai i aros tan y diwedd, yr unig rai i werthfawrogi bywyd mor esmwyth a hudolus oedd i'w gael yn Llanedwen.

Roedd Mr Baldini yn awyddus i ymddeol, ond heb fodd i wneud hynny. Gwyddai'n iawn nad oes dim tristach na chlown crebachlyd. Roedd yn ddigon hen i gofio perfformiad olaf Joey Grimaldi, hwnnw wedi heneiddio cyn ei amser ac yn rhy simsan i sefyll, ei esgyrn wedi breuo a'i gyhyrau'n glymau drosto ar ôl einioes o gnocio'i hun yn ddi-baid yn enw difyrrwch. Bendith o'r mwyaf fu'r Gaiety Theatre i Billy Baldini. Rhoddwyd llety iddo yn y Penrhos Arms yn Llanfairpwll, ac er gwaethaf ei oedran a'i regi, dotiai gweddw'r dafarn arno. Sleifiodd yntau ei draed dan y bwrdd a phriododd y ddau. Hyd ddiwedd ei oes – na ddaeth tan gychwyn y Rhyfel Mawr – byddai Billy'n bwrw tin dros ben i ddiddanu selogion y Penrhos a Morfudd

Baldini'n brolio wrth bawb ei fod dros ei ddeg a phedwar ugain.

Dysgodd Billy Baldini ychydig o Gymraeg, i helaethu ei stoc o regfeydd yn fwy na dim. Ni wyddai Eluned nac Annie fod cymaint o eiriau Cymraeg am ymgarthu, gwneud dŵr na thorri gwynt. Yn wahanol i Mr Baldini, geiriau haniaethol, dyrchafedig a ffafriwyd gan Pansy: tlws, hiraeth, hyfryd, cariad. Ond er bod ganddi lu o edmygwyr ym mhlwyf Llanedwen, ni fu ganddi'r un oedd yn anwylach iddi na'r gweddill. Gwell oedd ganddi eu galw nhw i gyd yn 'gariad'.

* * *

Doedd Annie ddim yn un am afradloni geiriau tyner, ond penderfynodd yn fuan ar ôl cyrraedd Amlwch mai dilyn esiampl Pansy fyddai orau iddi a gwasgaru ei ychydig serchiadau. Hyd y gallai, byddai'n osgoi codi cnecs, gan feddwl y gorau am bawb heb obeithio am lawer. Ni ddaliodd ei gafael mewn unrhyw un na dim arall, rhag ofn. Adroddai iddi'i hun hud y perswâd, 'Ti ar dy ben dy hun rŵan, yr hen chwaer. '

Weithiau deuai hyn ag ymdeimlad iddi o ddatgysylltiad – fel petai hi a phawb o'i chwmpas yn gymeriadau mewn pantomeim. Castiodd ei hun fel dewines dda, Ernie'n flaenlanc trwstan, Mr a Mrs Owen fel pen a thin y ceffyl, Buddug fel y chwaer hyll a Mrs Tudor-Jones yn Weddw Twanci, gyda'u gwisgoedd ffyslyd, hurt. Ni allai feddwl am ran i Now. Roedd o'n rhy ifanc a gormod o gwmpas ei bethau i chwarae'r hen ffŵl ac er gwaethaf ei gamargraff ei hun, roedd yn rhy hen i fod yn wrthrych rhamantus. Rhy hen i fod yn dywysog hefyd, er na fyddai fymryn balchach o hynny, gan ei fod mor chwyrn yn erbyn y crach.

'Mae Mam yn dweud mai Bolshevik ydi Now-How,' meddai Ernie.

'Oes gwahaniaeth gen ti?'

'Na,' meddai yntau'n ofalus. 'Dwi'n meddwl ei fod o'n olreit.'

Yn raddol, daeth hithau i'r casgliad fod Now yn hen foi iawn, serch ei fod yn golbar. Gwerthfawrogai ei garedigrwydd tuag at Ernie, ei amynedd wrth i hwnnw barablu straeon o'r cylchgronau yn ymwneud â'r pictiwrs: sut yr oedd Joan Crawford yn addurno'i thŷ, fod gan Barbara Stanwyck rewgell fawr i gadw ei chotiau ffwr, gan na wnâi'r tro o gwbl i Miss Stanwyck ogleuo o mothballs ...

'Taw di,' meddai Now yn hynaws. Yna, dywedodd yn dawel wrth Annie, 'mae'r hogyn yn rhyfeddol o styried yr hen sarffes o fam sy ganddo.'

Ond gallai Annie gysuro'i hun fod Ernie'n dechrau gwingo'n rhydd o dorchau tynion yr hen sarffes a gwyddai mai iddi hi roedd y diolch am hynny. Mynnodd Ernie'r hawl i fynd allan i'r pictiwrs bob nos Sadwrn, prynai'r *Picturegoer* yn wythnosol ac ambell dro, byddai'n mentro cyn belled â Chaergybi ar y bws ar ei ben ei hun.

'Wyt ti'n cael hwyl yno?' gofynnodd Annie.

Gwridodd Ernie a daeth atal dweud arno. *Sensitive subject* yn amlwg, meddyliodd Annie ac ni holodd ymhellach.

Yna daeth y rhyfel. Roedd Now wedi gweld hyn yn digwydd, ond pan ddaeth y cyhoeddiad, roedd yntau mewn gormod o sioc i edliw dim. Roedd Ernie'n dawel. Lladdwyd ei dad yn y Rhyfel Mawr, meddai, a rhoddodd

Annie gofleidiad iddo. 'Awn ymlaen fel o'r blaen, cystal ag y gallwn,' meddai Mr Owen, ond ni fu'r Golden Eagle byth yr un fath wedyn.

Disgynnodd y rhyfel fel cwrlid dros Annie. Parhaodd i borthi ei chwsmeriaid gydag ambell air o Ffrangeg; mymryn o *chic* – fflachiad o liw i gydbwyso bygythiad y Jermans. Ond ar adegau tawel, câi ei hun yn meddwl am Gwynfor. Oedd o'n dal yn fyw, tybed? Weithiau, bron na ddiolchodd na fyddai'n rhaid i Cyril gwffio. Ond diolch gwag ydoedd a rhyddhad llawn rhwystrau. Roedd meddwl am Cyril yn rhagflas i alaru eraill a hynny'n atgyfodi a dwysáu ei galar hithau.

Gwyddai Now fod Annie wedi colli mab, ond prin y daeth cyfle iddo gydnabod y golled. Doedd pictiwrs mo'r lle iawn a thybiai na fyddai adeg cychwyn y rhyfel yn addas i holi chwaith. Serch hynny ar nos Sadwrn cyntaf y rhyfel, rhoddodd ei fraich amdani yn lobi'r pictiwrs a gwasgodd ei hysgwydd. 'Os medra i fod o unrhyw help,' meddai, 'cofia 'mod i yma.' A gan fod pobl Amlwch hwythau yn drwm eu meddyliau'r noson honno, ni sylwodd neb, llai fyth ei ystyried yn destun gwarth na chlecs. Yn dawel bach, bu ystum taer a thrwsgl Now yn gysur i Annie hefyd.

Wrth i'r wythnosau lusgo, gwawriodd ar Annie un bore ei bod yn dechrau dygymod â thrymder y rhyfel. Trodd drachefn at y manion bethau a luchiwyd o'r neilltu a daeth Frank i'w meddwl. Nid oedd wedi'i anghofio'n llwyr, wrth gwrs, ond ni fyddai'n oedi dros unrhyw atgof ohono. Byddai'n llithro drwy ei meddwl yn achlysurol, fflach o aur ei sbectol a suddai drachefn, heb adael yr un chwa o hiraeth na drwgdeimlad ar ei ôl.

Ysgrifennai ati'n rheolaidd. Rhoddai Frank y pwys

mwyaf ar reoleidd-dra – y fo a'i Bile Beans, chwedl Annie. Ond un bore, meddyliodd amdano'n ddigon hir i synnu nad oedd wedi derbyn yr un gair ganddo ers rhai misoedd. Ers dechrau'r flwyddyn honno roedd ei lythyrau wedi byrhau. Fel o'r blaen, byddai Annie'n eu hateb gyda phostcard a neges ddiddim – 'Falch o glywed dy fod yn cadw'n iawn. Popeth yr un fath fan yma.' Yn ddiweddar ac i brofi nad oedd hi ddim dicach, byddai'n mentro cusan fach ddiwair ar y diwedd.

Yn hytrach na'r 'wyt ti'n cofio Annie?' a'r ymddiheuriadau maith a sawrai o anghred a rhyw dosturi amwys, dechreuodd Frank sôn am y tywydd. 'Mae hi'n ofnadwy o oer yma,' fel petai Bangor ar gyfandir arall. Wrth iddi dywyllu ledled Ewrop, sleifiai'r hen ystrydebau a'r mwyseiriau'n ôl i lythyrau pytiog Frank. Rhyfedd, meddyliodd Annie, ac aeth i'r jestadrôr am ei lythyr diweddaraf.

Gorffennaf 1939. 'Mae'r Cyngor Tref yn cadw dyn yn brysur, felly rhaid i mi ei throi hi... Time and tide, wyddost ti.' Ac yn y cyfamser, roedd y Jermans wedi ymwthio i wlad Pwyl. Ni allai Annie ddychmygu'r un Jerman yn rhwystro Frank rhag chwarae ei rownd o golff ar fore Sul ac eto, doedd bosib bod y rhyfel yn galw am ryw fath o sylw ac yntau'n llythyru'n fisol ers tair blynedd? Rhoddodd Annie'r llythyr yn ôl yn ei amlen yn y drôr. Ystyriodd ysgrifennu ato a gofyn, wyt ti'n iawn Frank? Ac yna cofiodd, rhyfel neu beidio, ei bod ar ei ben ei hun ac na fyddai'r llythyr yn cyflawni dim ond codi gobeithion yr hen greadur.

Daeth gair ganddo o'r diwedd yn ystod wythnos olaf mis Tachwedd. Roedd Annie wedi anghofio amdano drachefn erbyn hynny. Holodd Frank amdani, nododd rhywbeth gwlatgar am y rhyfel ac yna gofynnodd a fyddai modd iddynt gwrdd am sgwrs y Sul canlynol.

Rhoddodd Annie'r llythyr o'r neilltu am ychydig a meddyliodd yn galed. Ystyriodd ei resymau, ond yn fwy na hynny pryderai dros y lleoliad, gan i Frank fynnu dod i Amlwch. Ni allai Annie oddef ei wahodd i'r fflat, doedd honno fawr amgenach na'r dydd y symudodd i mewn. Doedd neb yn galw yno. Y Golden Eagle, y pictiwrs a chaffi'r Avondale oedd ei hunig lwyfannau cymdeithasol bellach a byddai'r rheiny i gyd ar gau dros y Sul. Penderfynodd fenthyg caffi'r Avondale ac anfonodd neges at Frank y byddai dau o'r gloch y Sul canlynol yn yr Avondale yn ei siwtio hi i'r dim. Fyddai neb yn colli mymryn o ddŵr poeth a dwy fynsen stêl.

Wrth aros am Frank yn y caffi, melltithiodd y fflat byglyd a'r oerfel. Gwisgai ei chôt frethyn, yr union gôt frethyn a wisgai pan adawodd Menai Villa am y tro olaf, a theimlai mor dlodaidd fel yr aeth i nôl yr het a brynodd Now-How iddi. Gobeithiai y byddai honno'n rhoi gwell argraff a dod â lwc iddi, er na allai ddychmygu pam y byddai angen hynny.

Cyrhaeddodd Frank yn brydlon am ddau. Chwifiodd ei law yn betrusgar drwy ffenest y caffi ac wrth i Annie agor y drws canodd y gloch yn fwy dyfal nag erioed o'r blaen.

'Mae golwg dda arnat ti.' Roedd Frank wedi pesgi'n sylweddol a golwg drwsiadus arno. 'Stedda. Gymri di baned?' Edrychodd Frank yn syn arni;

'Yma?'

'Pam lai?' meddai hithau'n sionc, fel petai eistedd mewn caffi, a hwnnw ar gau, yn hwyl gorau bosib.

Pan ddychwelodd o'r tu ôl i'r cownter gyda'r te a dwy

fynsen, roedd Frank wedi tynnu'i het a'i gosod o'i flaen ar y bwrdd. Roedd golwg bell arno. Cododd yn frysiog a chwipio'r het o'r ffordd wrth i Annie osod yr hambwrdd o'i flaen.

'Be haru ti, Frank? Ti ar binnau.'

Eisteddodd yntau drachefn a gwenu'n anghysurus arni.

'Mae dy wallt wedi tyfu,' meddai. 'Mae'n dy siwtio di.'

Yn reddfol, cododd Annie ei llaw a chyffwrdd ei gwallt yn ysgafn.

'Diolch, Frank,' ac yna i unioni ei hystum, ychwanegodd, 'Ti wedi dygymod â'r lliw, felly?'

'Annie...'

'Beth?'

'Dw i isio difôrs.'

Doedd Annie heb ystyried hyn. Tybiai mai pres neu rywbeth i'w wneud â'r rhyfel oedd y rheswm dros y cyfarfod. Wrth i Frank ddweud y geiriau, daeth rhywbeth annioddefol i'w meddwl. Dyrnai ei chalon a phigai'r chwys yn gynddeiriog dan gorun a chantel ei het.

'*Desertion*, oeddwn i'n feddwl, os ydi hynna'n iawn.'

Nid oedd Frank yn dyst i'r newid a ddaeth dros Annie. Edrychodd ar y fynsen o'i flaen, cydiodd ynddi a'i gosod yn ôl ar y plât. 'Byddai hynna'n haws dwi'n meddwl, dim sgandal, nid bod unrhyw destun sgandal, wrth gwrs... Mater o gael twrnai, *signatures*...'

'Frank?' Edrychodd Frank arni, ei llygaid hithau'n mynnu mwy ohono na wnaethant erioed o'r blaen. 'Wyt ti am briodi?' Edrychodd Frank ar y fynsen.

'Ydw.'

'Faint ydi'i hoed hi?'

'Tua'r un oed â thi.'

Rhoddodd Annie ebwch anfwriadol, tynnodd ei het a gwenu arno. Rhy hen. Pwy bynnag oedd hi, byddai'n rhy hen i ddod â rhyw hanner Cyril bach arall i'r byd.

'Dwi'n falch iawn drosot ti, Frank,' a thywalltodd de iddo.

Adferwyd ei hunanfeddiant ar amrant, cyn i Frank gael cyfle i sylwi'i golled. Ymlaciodd yntau a bu'r ddau'n sgwrsio'n gyfeillgar. Dilynai hanes carwriaeth Frank yr union drywydd a ddychmygodd Annie ychydig flynyddoedd ynghynt.

Alys oedd y gyntaf i sylwi nad oedd Mr Lewis yn fo'i hun rywsut. 'Ydach chi'n iawn, Mr Lewis?' gofynnodd ryw brynhawn Gwener. Gyda'r penwythnos o'i flaen, roedd Frank yn fwy bregus nag arfer a daeth yr holl stori allan yn gymysg â dagrau a chywilydd.

'Mae'n siŵr ei bod hi'n meddwl 'mod i'n hen ast,' meddai Annie.

'Na, nid un fel 'na ydi Alys o gwbl.' Yn wahanol i chdi, gallai fod wedi ychwanegu.

Tybiodd Annie fod Frank druan, yn ddi-gefn a di-glem yn ei drallod, yn wrthrych rhamant delfrydol i hen ferch galon feddal fel Alys. Cofiai y byddai Frank yn sôn amdani o bryd i'w gilydd er na feddyliodd hithau ddim amdani chwaith. Yng nghaffi'r Avondale, ceisiodd ei dychmygu am y tro cyntaf a mynnai ei gweld mewn esgidiau clampiog a chôt ddi-siâp, yn cydio mewn bag llaw anferth yn dragwyddol.

'Daeth â thorth o fara brith i mi'r dydd Llun wedyn.'

'Dyna neis.'

'Ma Alys yn gwc fach dda.'

Alys druan hefyd, meddyliodd Annie wrth i Frank

ymhelaethu, yn rhannu ei hamser rhwng edrych ar ôl ei mam oedrannus, teipio llythyrau Frank drwy'r dydd ac yna llenwi pob munud sbâr yn paratoi teisennau i'w besgi. Mwy nag y gwnaeth hi erioed iddo. Edrychai'r Frank cnawdol yn gysurus, y cnawd hwnnw'n obennydd amdano ac yn amlygiad o fwythau Alys. Iawn iddo fwynhau tipyn o faldod, meddyliodd Annie ac yntau... Edrychodd arno ac yntau'n heneiddio.

'Bu farw Mrs Edwards, mam Alys, yn gynharach eleni.' Rhoddodd Annie ebwch o gydymdeimlad claear. 'Dyna oedd ei dymuniad olaf, meddai Alys, i ni'n dau briodi.'

'Chwarae teg iddi.'

Aeth Frank i'w boced am ei waled a dangosodd lun iddi. 'Dyma hi, yli.'

Roedd Alys a Frank ar y prom yn Llandudno. Dychmygodd Annie Frank yn prynu te bach iddi a swfenîr – modrwy, efallai. Edrychai'r ddau'n hapus ac Alys yn llawer mwy deniadol na'r disgwyl, yn sbriws mewn *twin-set* a sodlau.

'Dynes ddel...' mentrodd Annie.

'Glandeg,' cytunodd Frank, gan edliw nad oedd tegwch yn ddigon ar ei ben ei hun a syrffedodd Annie ar ei wastadrwydd. Trodd yn bigog wrth ystyried ei ragrith – mai y fo ac nid y hi holodd am ysgariad.

Roedd Frank yn palfalu ym mhoced frest ei dop-côt a daeth o hyd i lun arall. Edrychodd arno cyn ei osod ar y bwrdd o'i blaen. Sylweddolodd hithau mai llun o Cyril ydoedd, yn blentyn ysgol. Ni faeddai edrych ar ei wyneb a syllodd ar ei grysbais. Roedd hwnnw'n ddigon a chofiodd drachefn lwydni a gwead y gwlân, y botymau corn ac yntau'n cwyno eu bod yn pigo. Safodd amser a synnwyr yn stond am ychydig ac wrth iddynt lacio, melltithiodd Frank am ddewis llun o Cyril mor ifanc ac amrwd. Fel llanc y mynnai Annie ei weld, yn hyf a hyderus, nid yn fach ac anghysurus, yn methu gweld pam roedd rhaid iddo wisgo fel ei dad ac eistedd yn llonydd i gael tynnu'i lun.

'Gei di eis-crîm wedyn,' meddai wrtho, gan orfodi gwên. Eto ni allai hoelio'i golwg ar ei wyneb.

'Wyt ti'n iawn?' holodd Frank.

'Ydw,' meddai hithau. 'Diolch i ti.' A gyda'i llaw dros y llun, fe'i llithrodd dros y bwrdd ac i boced ei chôt.

'Does ddim rhaid, wyddost ti.'

'Beth?'

'Mynd ymlaen â hyn.'

'Paid â bod yn wirion, Frank. Rwyt ti ar fin priodi ac mi wnes innau fy mhenderfyniad. Fyddet ti'n cyflawni dim, ond tynnu 'breach of promise' ar dy ben.'

'Dwi heb ofyn eto,' meddai'n llywaeth a gwylltiodd Annie.

'Gofyn iddi, ta!' a chododd yn sydyn, heb unlle i droi.

Cododd yntau'n bwyllog a gosod ei het.

'Mi wna i drafod yr arian ac ati hefo'r twrnai.'

'Iawn, os teimli di'n well. Ond cofia, dwi'n iawn. Yn berffaith iawn.'

'Wyt, siŵr,' meddai Frank a synnodd Annie at ei hunanfeddiant a'i chalon galed. 'Wel,' meddai yntau'n dawel, 'Da bo ti, Annie. Roeddwn i'n amau y byddet ti'n dallt.'

'Yn berffaith, Frank. A diolch – am y llun.'

Chwifiodd Frank ei law wrth adael a chroesi'r lôn yn ysgafnach ei droed na'r disgwyl i ddyn o'i bwysau a'i oedran. 'Pwy mae o'n feddwl ydi o, Fred Astaire?' Ond ni ddeuai cysur yn sgil ei ffraethineb, gan nad oedd neb i'w rannu. Streiliodd y llestri a rhoi'r byns yn ôl dan y gwydr, yn barod i rywun eu lluchio fore trannoeth.

Yn nhawelwch y fflat wedyn, ystyriodd beth fyddai Cyril yn ei ddweud, a gwyddai'n iawn y byddai'n ei herio i beidio â bod cymaint o frechdan. Nid ym mhoced ei chôt roedd cadw ei lun ychwaith a byddai'n rhaid prynu ffrâm iddo. Efallai un ar gyfer Henry Cyril yn ogystal, er mwyn i'r ddau gadw cwmni i'w gilydd ar y silff ben tân, ymhlith y cardiau Nadolig a ddeuai toc gan ei chwsmeriaid. Ar ôl penderfynu ar hyn, torchodd ei llewys, yn barod i roi trochfa iawn i'r cyrtens net.

11

'DEW,' MEDDAI NOW-HOW, gan ryfeddu at lun y Marcwis yn ei deits gwynion, gyda phlethen hir a phagoda ar ei ben. 'Tydi hwn ddim byd tebyg i'r crach arferol.'

Gwenodd Annie arno, ei phenelin yng nghledr un llaw ac un o sigaréts Senior Service Now yn hongian rhwng deufys y llall, mewn ystum a ddysgodd yn y pictiwrs.

'Pam na ddoi di draw am baned cyn mynd i'r pictiwrs heno?' gofynnodd iddo pan ddaeth draw i'r Golden Eagle am sgwrs yn gynharach.

'Gwell na hynna,' meddai yntau, 'mi ddo i â photel o Johnnie Walker hefo mi!' Doedd gan Annie yr un gwydryn a bu'n rhaid yfed y chwisgi o gwpanau te. Chwarddodd y ddau.

Llun o Henry Cyril mewn gwisg Tsieineaidd a ddewisodd Annie ar gyfer y ffrâm arall. Golygai hynny fod ei Cyril hi ac yntau'n edrych ar ei gilydd o bob pen i'r lle tân. Roedd y wisg yn ei hatgoffa o achlysur arbennig, sef *Aladdin*, pantomeim cynta'r Gaiety Theatre, pan ddaeth pawb a phopeth yn fyw am rywfaint, beth bynnag.

Pansy Bassett oedd Aladdin, wrth gwrs, a Henry Cyril yn chwarae rhan ei ffrind, Pekoe. Y ddau'n camu fraich yn fraich o flaen y goleuadau, yn ymestyn eu coesau gwynion del, fel pâr o geffylau sioe.

Doedd dim mymryn o amheuaeth ychwaith mai Billy Baldini fyddai'r Weddw Twanci a chynhesodd at yr orchwyl, gan ei fod yn llawer hapusach mewn dillad merched na'r du clerigol a fynnai *The Importance of Being Earnest*.

'Bloomers,' meddai'n bigog, gan balfalu dan sgert y wisg a ddaeth o Lundain. 'Bloomers!' gwaeddodd yn daer wrth Eluned.

'Blwmeri?' gofynnodd hithau.

'Blwmeri!' bloeddiodd yntau, gan fflapian ei ddwylo o gwmpas ei gluniau. 'Blwmeri ha-ha!'

Deallodd hithau ar amrant a gwnaeth iddo'r blwmeri mwyaf, y disgleiriaf a'r gwirionaf a welwyd yn Llanedwen.

Mr Keith ysgrifennodd y sgript, ond doedd o'n fawr o lenor. Gyda winc a chwifiad ei sigâr, honnai wybod yn union beth fyddai'n plesio. Iddo fo hefyd, fel cyfarwyddwr, rhoddwyd y gwaith o ehangu'r cast. Aeth i Lerpwl gyda llond waled o bres y Marcwis a dychwelodd gyda phâr o'r efeilliaid delaf erioed, hefyd horwth o ddyn cryf, criw o acrobatiaid a hen or-actor o'r enw Edgar Adcock.

'Edgar Adcock!' sgrechiodd Pansy a Billy Baldini a hithau yn eu dyblau, nes i Annie ofyn pam fod Edgar Adcock mor ddoniol.

'You'll know when you've 'ad it!' meddai Mr Baldini ac Eluned hyd yn oed yn rhyw hanner ei gweld hi, gan wingo a phwffian;

'Ww – yy!'

'Edgar Adcock!' chwarddodd Annie flynyddoedd maith yn ddiweddarach, wrth rwbio'i chyrtens net dros y bwrdd sgwrio. 'O, doeddwn i'n ddiniwed.'

Abanazer oedd Edgar Adcock yn y pantomeim. Ac er iddo wneud sioe ohoni, yn rhuo fel llew a lluchio'i hun o gwmpas y llwyfan gyda'i lygaid yn rhowlio a'i freichiau'n chwyrlïo fel melin wynt, un tawel a phell oedd o gyda phawb, pan nad oedd yn llewyrch y goleuadau. Rhoddai'r argraff fod pantomeim yn gyfrwng annheilwng o'i ddoniau ac yntau, fel y dywedai'n aml, wedi bod ar un cyfnod yn *understudy* i Henry Irving. Ond, fel y dywedodd Pansy'n ddistaw bach, digon o waith y byddai'n adfeddiannu'r uchelfannau hynny byth eto, gan fod cynildeb mor bell o'i afael mewn perthynas â'i actio a'i yfed; 'poor sod'. Ac wedi hynny, cyfeiriwyd ato yn ei gefn fel P S, y dyfarniad yn ffurfio ôl-nodyn ingol i floedd wag o yrfa.

Doedd Pansy ddim mor oddefgar tuag at yr efeilliaid, yr hyfryd Nelly a Nesta Norwood. Byddai'n cwyno wrth Annie ac Eluned eu bod fel heffrod ac yn eu hatgoffa hwythau nad oeddynt ddim ond pâr o *soubrettes* ymhongar. Ond er iddi ynganu'r gair gyda dirmyg pur, gwyddai Annie'n reddfol fod gwahaniaeth mawr rhwng *soubrette* a heffer. Hen drwynau bach oriog oedd y ddwy, yn cilchwerthin tu ôl i'w dwylo pan fyddai Mr Keith yn dwrdio Pansy. 'Dic-shyn, Miss Bassett!' bloeddiai wrth iddi hepgor yr aitsh a'i adfer pan nad oedd math o'i angen.

Deuai Nelly a Nesta o deulu theatrig, fe'u henwyd gyda golwg ar sut byddent yn ymddangos ar raglen – tair N gyrliog, a dwy O a D unionsyth ar ddiwedd y Norwood. Consuriwr oedd eu tad, a'u mam yn ei gynorthwyo gydag ystumiau cain, ei hysgwyddau a'i breichiau'n ffurfio clwyd addurnol i'w golomennod. Dywedodd Mr Baldini y byddai Mrs Norwood hefyd yn arfer tynnu fflagiau a phenwaig o dan fflownsiau'i sgert a'u lluchio at y gynulleidfa. Ond yna, cafodd y consuriwr, y colomennod a hithau gyfle i berfformio o flaen Tywysog Cymru, a byth ers hynny, byddent yn honni 'apwyntiad brenhinol' a rhoddwyd y penwaig a'r baneri o'r neilltu. 'Common as muck,' cytunodd Pansy.

Byddai'r efeilliaid yn tynnu'n ddidrugaredd ar Sydney druan. Y fo oedd y dyn cryf a baentiwyd yn aur i gynrychioli'r *genie*. Byddai'r ddwy yn fflyrtian un munud a'i swatio â'u ffaniau'r funud nesaf, yn ffeirio eu henwau a'u serchiadau nes iddo wegian mewn penbleth. Wedi cyflawni hyn, byddent yn tin daflu eu hunain ato gan chwerthin. A Sydney druan mor daer a gobeithiol nes llyncu eu castiau a'u hamrywiadau drachefn a thrachefn.

Y Victorinis – a chwaraeai'r plismyn doniol – oedd y ffefrynnau gan Annie. Acrobatiaid: tad a thri o feibion heini. Byddai'n eu gwylio'n ymarfer gyda'u trampolinau ar lawnt y Plas, Mr Victorini yr hynaf yn chwibanu a chlapio a'r hogiau'n hedeg a rowlio. Weithiau, câi fynd â phaned iddynt, hwythau'n ei gorchymyn i sefyll yn llonydd ynghanol y trampolinau a'r pedwar yn neidio dros ei phen, yn gwau drwy'i gilydd a hithau'n synhwyro grym dyrchafol yr aer o'u cwmpas.

Roedd Mr Victorini'n hoff iawn o Annie. Gresynai na fu ganddo ferch a hynny am resymau ymarferol yn gymaint â sentimental. Mor swynol, mor goeth meddai, byddai cael merch yn eu plith yn rhoi cydbwysedd i'w campau. A theimlai Annie ynghanol eu sboncio fel Victorini anrhydeddus. Dychmygai ei hun yn llonydd ar lwyfan mewn ffrog sidan binc a'r hogiau'n fflio o'i chwmpas.

Ond yna, byddai Mr Victorini'n gorffen ei de ac yn chwislo ar ei feibion ei bod yn amser ymarfer drachefn. 'Bona char,' meddai wrth Annie wrth ddychwelyd ei gwpan a byddai hithau'n casglu gweddill y llestri a dychwelyd yn fflat i'r Plas.

Brafiach o lawer oedd dychmygu ei hun yn aelod o deulu'r Victorinis na bod yn un o giwed Ty'n Clawdd a pho hiraf yr arhosai yng nghwmni criw'r theatr, y lleiaf yr uniaethai Annie â'i theulu go iawn. Prin y sylwodd fod Buddug wedi gadael cartref, er i Bessie Robaits gwyno'n dragywydd nad oedd hanner cystal â'i chwaer am dendio'r tŷ.

'I be? Tydw i byth yma!' snapiodd Annie.

Gyda theulu amgen y Gaiety Theare y mynnai fod. Cawsai well lle yno a safle oedd yn llawer agosach i'r brig, yn enwedig wrth glosio at Eluned a Pansy. Henry Cyril oedd y penteulu ac yntau'n gymaint mwy llednais nag Arthur Robaits druan, yna deuai Mr Keith ac Eluned a thu ôl iddyn nhw, fel aelodau sefydlog y cast, Pansy a Mr Baldini. Ac o fod yn rhan o'r cylch goruchel hwn, gwyddai Annie y gallai deimlo trueni dros yrfa ddrylliog Edgar Adcock a sbeitio Nelly a Nesta cystal â Pansy.

Fel petai yntau wedi hen gefnu ar ei deulu bonheddig, gofynnodd Henry Cyril un tro beth oedd 'beautiful family' yn Gymraeg. Yn reddfol ac ar unwaith atebodd Eluned,

'Tylwyth teg.'

'Tylwiiith teeeg…' meddai'r Marcwis, gan lenwi'r ystafell â'i lafariaid.

'Fairies,' ychwanegodd Annie, gan esbonio fod tylwyth teg yn cyfeirio'n ogystal at greaduriaid del ac amryliw, gydag adenydd. Ar hynny, llaciodd Henry Cyril ei ysgwyddau a chydag ochenaid, lledodd ei freichiau megis cofleidiad a syllu'n ddiolchgar tua'r entrychion.

'Dyna pwy ydan ni i gyd,' gorfoleddodd Eluned, 'tylwyth

teg!' Cytunodd y Marcwis, ac i ddathlu'r canfyddiad, moesymgrymodd yn osgeiddig o flaen Eluned ac Annie:

'Diolch i chwi, ladies...'

* * *

'Mi fowiodd o 'mlaen i unwaith,' meddai Annie, ei meddwl ymhell.

'Hwn?' gofynnodd Now-How. 'Marcwis yn bowlio i'r werin, dyna Leias o ddyn. Er bod ei wyneb o'n dew o bowdwr.'

'Stage make-up,' esboniodd Annie. 'Ond mi roedd o'n un am *jewels* a phincio a sentio a ballu. Roedd o fel un o'r tylwyth teg .'

'Be? fferi?'

'Ia,' atebodd hithau, braidd yn amheus erbyn hyn.

'Roedd 'na rai tebyg iddo ar y môr er talwm. Ar y llongau criws – stiwardiaid gan amlaf. Hen hogia iawn at ei gilydd .'

'Am beth wyt ti'n sôn, Now?'

'Tyrd yn d'laen, hogan – y rheiny, ti'n gwybod. Dwi ddim yn siŵr oes 'na air Cymraeg amdanyn nhw.'

Yna, sylweddolodd Annie beth oedd gan Now mewn golwg ac meddai'n swta, 'Wyddost ti be, Now, wnes i rioed ystyried hynna ryw lawer. Doedd o'n ddim o 'musnes i.'

'Nag oedd siŵr,' cytunodd yntau'n glên. 'A dim o 'musnes innau chwaith.' Rhoddodd y llun yn ôl ar y silff ben tân a chodi ei gwpan de tuag ato. 'I'r Marcwis!'

'I'r Marcwis!' ailadroddodd hithau. Teimlai ryw ysgafnder a rhyddhad yn treiddio drwyddi, ac am y tro, rhoddodd fai ar y chwisgi.

* * *

Roedd pethau'n argoeli'n dda ar gyfer y pantomeim. Welodd Mr Keith erioed gynhyrchiad yn dod ynghyd mor dwt. Bu'n amheus o Edgar Adcock ar y cychwyn, ofnai y byddai'n anodd ei drin, ond wrth chwarae'r dihiryn, deuai ei holl siomiant a chwerwder ynghyd, fel petai'n herio pawb i'w gasáu. Roedd Nelly a Nesta yn gwbl naturiol fel pâr o dywysogesau a Pansy mor grasog ag unrhyw lanc ifanc, er nad edrychai'n debyg i'r un. Roedd Sydney'n nobl ac urddasol yn ei baent aur a gweai Billy a'r Victorinis fale o gomedi gwych.

Ond yng nghanol y fath berffeithrwydd disylwedd arhosai un anhawster anorchfygol. Ni allai'r Marcwis ganu tebyg i ddim. Wrth ymarfer ei ddeuawd gyda Pansy byddai'n rhaid iddi wasgu ei law fel ciw i ddechrau. Ond, mi fyddai wastad yn hwyr, canai ychydig o nodau simsan ac yna tagai'n ddireol, gan ystumio i bawb ddal ati tra enciliai i'r asgell i chwistrellu ffisig i lawr ei wddf o botel risial. Rhoddai hyn Mr Keith mewn cyfyng gyngor ac ni fentrwyd ymarfer ei gân gyda Nesta, gan y gwyddai pawb na fyddai'r efaill mor hael ei chefnogaeth â Pansy. I achub y sioe, byddai'n rhaid i Mr Keith ymarfer ychydig o onestrwydd didostur. Ond gwyddai hefyd na fyddai gonestrwydd yn gorwedd mewn brawddeg a gychwynnai gyda'r geiriau, 'Your Lordship...'

Galwyd ar Eluned a gwahoddodd hithau Henry Cyril i'w gweithdy cyn cau'r drws. Cythrodd Annie a Pansy i glustfeinio, ond ni allent ddallt dim o'r sgwrs. Clywsant ambell i ochenaid a thuchan gan y Marcwis, Eluned yn parablu, rhagor o ochneidio ac yna Eluned fel petai'n dweud y drefn. Ataliwyd hyn toc gydag 'a a a' fawreddog ac wrth i Annie a Pansy sgrafangu i ben pella'r ystafell wisgo, daeth y ddau allan, yn wên o glust i glust.

* * *

Yn gyndyn, cytunodd Bob Wmffras gadw cwmni i Eluned wrth iddi alw i weld Lisabeth ac Enoc drws nesa. Cyn gadael y tŷ, ystumiodd at ei phenwisg blodeuog ac meddai, 'Fasa hi ddim gwell i ti dynnu'r cadach gwirion 'na oddi ar dy ben, dŵad?'

Rhoddodd Lisabeth y cetl ar y tân ac wedi i bawb setlo, gofynnodd, 'Be di'r achlysur?'

'Ydi Gwynfor o gwmpas?' holodd Eluned ac wedi i Lisabeth ei alw, daeth Gwynfor i lawr o'r llofft. Roedd yn falch o'i gweld, pur anaml byddai'n mentro drws nesaf bellach, gan fod Lisabeth yn dwrdio;

'Ti'n rhy hen i dreulio gormod o amser hefo Eluned – meddylia be ddeudith pobol.' Ni wyddai Gwynfor pam bod treulio amser gydag Eluned mor wrthun. Ni wyddai Enoc ychwaith, ac yn gwbl annibynnol ar ei gilydd, daeth y ddau i'r un casgliad mai rhyw ddirgelwch ydoedd nad oedd ond yn hysbys i ferched. Ac felly, doedd wiw holi ymhellach.

'Dŵad i mi,' gofynnodd Eluned yn siriol, 'ydi dy lais di wedi torri eto?' Gwridodd Gwynfor mewn penbleth a swildod. Daeth Enoc i'r un casgliad fod ymholiad Eluned yn rhan o'r gyfrinach fenywaidd a waharddai unrhyw gyswllt rhyngthi hi a Gwynfor. Syllodd y ddau ar Lisabeth am arweiniad.

'Ateba'r ddynes, Gwynfor.'

'Ydi,' meddai yntau, 'mae'r gwichian wedi sadio bellach.'

'A phaham, Eluned,' gofynnodd Lisabeth, 'ydach chi'n holi'r fath beth?'

Yn fyrlymus, esboniodd Eluned fod angen canwr ar gyfer pantomeim y Plas.

'A sut beth ydi pantomeim, deudwch?'

'Hwyl,' atebodd Eluned, gan gamfarnu'r effaith a gâi'r fath air ar Lisabeth.

'Mi faswn i wrth fy modd yn cael canu eto, Anti Lisabeth.'

Y foment y synhwyrodd Bob Wmffras fod Lisabeth yn ildio ychydig anelodd ei ergyd:

'Lisabeth Owen,' cychwynnodd yn bwyllog, 'ydach chi'n cofio'r sgwrs gawson ni bron i bymtheg mlynedd yn ôl?'

Gwgodd Lisabeth; efallai fod ei chof yn dechrau methu bryd hynny.

'Ydach chi'n cofio deud wrtha i fod Eluned druan fel iâr dan badell a'i doniau'n mynd yn wastraff?'

Daeth fflach o atgof i'w llygaid.

'Methwn weld hynny ar y pryd, ond y chi oedd yn iawn a dyna'r cyngor gorau roddwyd i'r hogan a finnau erioed. Sbïwch arni rŵan, yn *Wardrobe Mistress* ac yn ennill mwy na wna i byth. A hithau'n infalîd, cofiwch...'

'Mae Gwynfor yn wahanol i Eluned,' torrodd Lisabeth ar draws ei seboni. 'Mae ganddo joban dda hefo'r London and North Western. Gall wneud ei ffordd yn y byd heb unrhyw help ganddoch chi.'

Brifwyd Bob gan hyn, ond daliodd ati;

'Pechod, Lisabeth Owen ydi cadw llais cystal â Gwynfor yn dawel. Ac nid "o bechod" ychwaith, ond y math o Bechod bydd pregethwrs yn tantro yn ei erbyn.'

'Emynau fydda nhw'n eu canu yn y pantomeim 'ma, Bob Wmffras?'

Ac o weld Gwynfor, Eluned a Bob ar goll am unrhyw ymateb, daeth Enoc i mewn i'r sgwrs. 'Taw, Lisabeth,' meddai, 'ma Bob yn llygaid ei le. Mae'r hogyn yn gallu canu ac yn dda las hefyd.'

Dechreuodd Lisabeth wegian. 'Dwi ddim isho'i glywad o'n canu rhwbath, rhwbath, Enoc. Ac wedi'i ddecoratio fel coedan Dolig, yn gneud stumia, â dod â gwarth ar ein penna ni.'

Ar hynny, heidiodd pawb yn ei herbyn, gydag Eluned yn ychwanegu o'r diwedd, 'Fydd neb ddim callach mai Gwynfor fydd yn canu.'

'Os daw'r hogyn i unrhyw drybini, Eluned, y chi fydd yn gyfrifol.'

Ar ôl diwrnod o waith yn yr orsaf, daeth Gwynfor i'r Gaiety Theatre. Roedd Nelly a Nesta'n gadael am eu lojins, y ddwy yn eu cotiau cochion, gyda chlymau bô mawr yn eu cyrls duon. Syllodd Nelly'n ddirmygus ar iwnifform Gwynfor a chafodd bwniad gan Nesta. Chwarddodd y ddwy, eu sodlau bach caled yn atseinio i lawr y coridor marmor.

'Pwy oedd y rheina?' gofynnodd Gwynfor i Eluned.

'Hidia befo nhw,' meddai hithau, 'tydyn nhw ddim mor ddawnus â chdi.'

Roedd y llwyfan yn llachar yng ngoleuni'r lampau a Henry Cyril a Pansy'n camu o'i gwmpas, yn ffeirio llinellau o ddialog a Pansy'n rowlio'i llygaid a'i thin, gan slapio'i chlun o bryd i'w gilydd.

'Hogan 'di honna?' ac wrth ofyn, sylweddolodd Gwynfor

na welsai erioed neb oedd yn fwy o hogan na Pansy, fwy nag a welsai o rioed neb oedd yn llai o hogyn na Henry Cyril.

'Ia, Pansy 'di henw hi – mae'n ffrind i mi. Cofia fowio.'

Ysgydwodd Gwynfor law Mr Keith a moesymgrymodd o flaen y Marcwis a Pansy.

'Hyfryd,' meddai hithau.

'Tlws,' meddai'r Marcwis.

'Can you read music?' bloeddiodd Mr Keith.

Aeth Gwynfor a Pansy at y piano a dechreuodd Mr Keith ddrymio'r nodau. 'Joinia i fewn when you can, cariad,' meddai Pansy cyn ymosod ar y gân a dechreuodd Gwynfor hwmian yn dawel. Erbyn yr ail gytgan, bloeddiai cystal â hithau, ei nodau'n atseinio nes pwnio pawb tuag at syfrdandod a thrawsffurfio ansawdd y deunydd. Tawodd Pansy, gan adael i Gwynfor orffen ar gwpled anfarwol Mr Keith:

What a lark to be so young and free –

Oh, such lucky chappies we!

'Stupendous!' rowliodd Mr Keith ei fysedd ar draws y piano. A gwyddai pawb nad edmygu ei waith ei hun ydoedd am unwaith.

'Gwyrth,' sibrydodd y Marcwis drwy ei ddagrau. Cofiodd y llais yn esgyn i'w ystafell, yntau'n grediniol ei fod ar farw, nes i 'Nant y Mynydd' ei drochi mewn gogoniant a'i lwyr wellhau.

12

'ANNIE?' ROEDD GOLWG bryderus ar Ernie ac ni roddai arwydd o droi am adref ar ôl i Annie gloi drws y siop a dymuno nos dawch.

'Mi ges i bost y bore 'ma,' meddai.

'Papurau *call-up*?' gofynnodd hithau ac amneidiodd Ernie. 'Wyt ti isio dod draw am baned?'

Wedi cyrraedd y fflat, safodd Ernie wrth y lle tân a syllu ar lun Cyril. 'Hwn...?'

'Ia, Cyril yn hogyn bach.'

Dechreuodd Ernie grïo ac ymddiheuro drosodd a throsodd drwy'i ddagrau.

'Tyrd Ernie bach.' Tynnodd Annie'r llun yn dyner o'i law a'i hebrwng yntau'n ufudd at y gadair orau. 'Fyddi di ddim gwell o grïo. 'Stedda a chymra baned.' Ar ôl iddo gymryd llymaid, gofynnodd iddo, 'Be wnei di, was?'

'Mae Mam yn dweud...' Ac edrychodd drachefn ar lun Cyril ar y silff ben tân. Teimlai Annie'n anesmwyth.

'Be mae hi'n ddweud, Ernie?'

Trodd ei olwg ati ac meddai'n wyllt. 'Mi ddeudodd wrtha i am fynd at y doctor a dweud mai Cadi-ffan ydw i.'

'Bobol bach!'

''Dach chi'n meddwl mai hi sy'n iawn?' a chyn i Annie gael ateb, ychwanegodd, 'mae hi'n berffaith iawn mewn un ffordd, wrth gwrs…' a rhoddodd ymgais ar chwerthin. 'Neu, medda hi, i mi sefyll tu allan i'r lle chwech ar bwys yr harbwr a dweud helô wrth ddynion diarth ac mi fasa hitha'n ffonio'r polis o'r ciosg rownd gornel.'

'Mi fasa nhw'n dy roi di'n jêl!'

'Ella basa nhw, ond fel deudodd Mam, mi fasa nhw'n cadw fi'n fyw yn fanno.'

'Pwylla, Ernie,' meddai i ennill amser iddi'i hun. 'Fasa ti'n dda i ddim yn jêl,' meddai wedyn.

'Nag yn yr armi chwaith!'

'Does gen ti ddim i fod cywilydd ohono. Basa mynd i'r jêl yn gwneud dim sens o gwbl.'

'Ond, dwi'n euog yn barod Annie, mae gen i ffrind yng Nghaergybi. Ffrind da iawn. Rhywun sy'n gwneud i mi deimlo fel fi fy hun.' Crychodd ei dalcen a llyncodd ei boer. 'Bryn ydi'i enw fo. Mae o'n gweithio yn lle gwallt Yvonne.'

Dyna lle byddai Annie'n mynd yn fisol i gynnal ei gwallt. Roedd Bryn yn eiddil a ffraeth, yn sgleinio o Brylcreem.

'Yli, Ernie, does ddiawl o ots gen i os mai Bryn yntau Brenda ydi dy ffrind di – ddylet ti ddim mynd i'r jêl!'

'Be wna i, ta?'

'Ella wna nhw mo dy gymeryd ti. Ti 'di bod yn wael, cofia.'

'Do. A 'dach chi'n cofio fi'n deud wedyn y gwnawn i rywbeth i ddenig? Dyna chi demtio ffawd, ynte?'

'Gad i mi feddwl, Ernie. Ac yn y cyfamser, beth am i ni'n dau ddweud, twll 'u tinau nhw?'

'Ia, twll 'u tinau nhw,' cytunodd Ernie.

Gwyddai Annie nad oedd ganddi neb ond Now-How i droi ato. Trwsiodd hwnnw ei pheiriant gwnïo'r wythnos gynt. 'Cofia di,' meddai wrthi gyda golwg slei a'r peiriant yn gweithio cystal ag erioed, 'gan Now-How mae'r *know-how...*' Dyna'r unig dro i Now ei hatgoffa o Frank ac wrth iddi ddangos ei siom, yr unig dro iddi godi cywilydd arno yntau hefyd. Daeth helyntion Ernie â hyn yn ôl iddi'n sydyn a meddyliodd, iawn, gawn ni weld, yr hen frawd.

Ffieiddiodd Now at ymateb Minnie a dan ei wynt fe'i galwodd hi'n hen jadan chwerw.

Serch hynny, siomedig oedd ei gyngor. 'Gwell aros tan iddo gael y medical. Gawn ni weld bryd hynny.' Yna'n sydyn, gofynnodd, 'ydi'r hogyn yn gallu canu?' Nac oedd. 'Deud jôcs?' Paid â bod yn wirion, Now. 'Chwarae'r piano neu rywbeth felly?' Bydda fo'n chwarae'r organ yn y capel, a'r piano yn y Gylchwyl; roedd yna biano yn y tŷ, a chofiodd iddo ddweud fod ganddo lwythi o syrtifficets miwsig – un mewn ffrâm yn y parlwr.

'Dywed wrtho am bracteisio fel fflamia, caneuon newydd, petha â mynd arnyn nhw. Ella bydd hynna o help a chaiff ffyrnigo'r hen ast 'na'r un pryd.'

Gwenodd Annie wrth ddychmygu holl uchelgais cerddorol Minnie i'w mab yn cael ei afradloni ar jazz, swing, a dawnsio.

* * *

Rhyfedd fel mae miwsig yn cael effaith ar bobl ac fel mae llais swynol yn gallu trawsnewid ymateb at berson. Sylweddolodd Annie hyn drosti'i hun yn fuan ar ôl i Frank brynu gramoffon iddi a gwirionodd ar gantorion poblogaidd y dydd. Pe bai Rudy Vallée ond yn cyrraedd at ei chesail ac yn hyll fel mwnci, ni fyddai'n ddigon i daflu dŵr oer ar ei hangerdd na'i hawch am ei ganeuon.

Yn gynharach o lawer, fe'i parlyswyd gan brydferthwch llais Gwynfor. Ond ni allai yn ei byw drosglwyddo'i serch tuag ato a hynny am y rheswm syml mai Gwynfor ydoedd. Er iddi lyncu rhamant ei amddifadedd, mynnai'r bachgen ysgol, â'r trowsus melfaréd, amharu â'r weledigaeth amgen ohono mewn siwt melfed a chyrls hirion. O'r cychwyn, roedd ganddi ormod o genfigen tuag ato i ymgolli yn ei ddawn amlwg.

Fel pawb arall, roedd criw'r Gaiety Theatre oll o'r un farn ag Eluned ac ymddangosodd Gwynfor megis tywysog yn eu plith. Roedd yn 'blentyn tlws' i'r Marcwis a Pansy, yn 'boy prodigy' i Mr Keith ac yn 'dreamy' i Nelly a Nesta Norwood. Anghofiodd y ddwy am ei iwnifform London and Northwestern pan glywsant o'n cuddio tu ôl i bagoda papur, yn benthyg ei lais gogoneddus i Henry Cyril. O'i weld yn euraidd a hawddgar wedyn, ychwanegent sen at eu sarhad tuag at Sydney a baglent dros ei gilydd i ennill ffafriaeth Gwynfor. Ar ymbil Mr Keith i gadw'r ddesgl yn wastad, rhannodd yntau'i sylw'n gyfartal â'r ddwy. Ai o gwmpas gyda'r chwiorydd fraich ym mraich ag ef a mynnai ddatgan fod y ddwy cyn ddeled â'i gilydd.

Er mwyn cysoni'i lais ag acen y Marcwis, rhoddodd Mr Keith wersi llefaru i Gwynfor. Rhoddwyd marblis yn ei geg a bu'n rhaid iddo adrodd nonsens hyd syrffed. Estynnwyd ei lafariaid a llyfnhawyd ei gytseiniaid, nes iddo swnio mor fonheddig â Henry Cyril Paget ei hun.

'Taw â dy hen Saesneg gwirion,' meddai Annie wrtho.

'Bydd yn ddefnyddiol iawn i mi at y dyfodol,' atebodd yntau'n oeraidd, gan ychwanegu, 'Gwenwyn wyt ti beth bynnag, meddai Miss Nelly a Miss Nesta.'

Gwylltiodd Annie, ond gwyddai'n iawn nad oedd ganddo

lawer o feddwl o'r efeilliaid. Roedd eu sgyrsiau'n syrffedus iddo a'u cwmni'n flinedig. Ni roddai Gwynfor arwydd o unrhyw ymdeimlad tu hwnt i oddefgarwch tuag atynt a hynny am iddynt gynnig cyfle iddo ymarfer ei foesau a'i acen newydd arnynt.

Nid gwersi siarad yn unig a gawsai Gwynfor. Roedd y Marcwis a Mr Keith ill dau o'r farn fod ei ddoniau'n gweddu at gyfrwng uwch na phantomeim ac, unwaith yr wythnos, deuai Proffesor Friedrich Wolf i Lanedwen ar docyn dosbarth cyntaf o Lundain i ddofi doniau naturiol Gwynfor. Anfonwyd y car i Fangor i gyfarfod â'i drên ac mewn cwmwl o sent yr egsôst, yn tagu a bytheirio, gosodai ei hun wrth y piano yn y Neuadd Fawr, yn barod i gyfarth ei chwithdod.

Hen sinach bach cam oedd Proffesor Wolf, ei wallt gwyn yn llaes ac afreolus ac ysgwyddau ei gôt ddu'n drwch o gen. Y Blaidd fyddai Annie'n ei alw a buan iawn y mabwysiadwyd yr enw gan bawb arall, heblaw am Gwynfor a arddangosai ryw barch afresymol tuag ato. Roedd y Blaidd, yn ôl pob sôn, yn athrylith ar lais, gallai felysu pob nodyn a dyrchafu pob ymdeimlad, er na arddangosai'r rhinweddau hyn ei hun. Piwis oedd ei deimladau a'i lais yn sgrech.

'Nein! Nein! Nein!' gwichiai ar Gwynfor, gan daro ei ffon nes gadael tolciau yn y llawr.

Ambell dro, byddai Annie ac Eluned yn sleifio o'r theatr i guddio tu ôl i ddrws y Neuadd a chlywed llais Gwynfor yn codi a llenwi pob modfedd o'r gofod aruthrol. Prin y byddent yn gallu uniaethu'r sŵn â Gwynfor, doedd y fath lais yn eiddo i neb. Dan ei swyn, byddent hwythau ill dwy yn teimlo fel neb ac fel pawb yr un pryd.

'Again!' gwaeddai'r Blaidd yn uchel a dig a Gwynfor yn

cychwyn drachefn â'i lais yn meddalu wrth lapio'i hun yn nodau'r piano. 'Ach!' ebychai'r Blaidd, gan alw Gwynfor yn ffŵl ac yn anwar a thyngu y byddai'n gwasgu'r llais o'i berfedd.

Weithiau, byddai Eluned yn bygwth troi dwrn y drws a'i atal.

'Paid,' meddai Annie, 'y fo sy'n dewis cael ei drin fel 'na.'

Byddai hoel crïo ar Gwynfor ar ôl ei wersi a byddai'r Blaidd yn dychwelyd i Lundain yn lladdar o chwys ac yn griddfan.

'Be mae'r bwystfil wedi'i wneud i ti?' gofynnai Eluned wrth i Pansy ei wasgu'n dyner i'w mynwes feddal. Drwy ffrils ei blows, byddai Gwynfor yn protestio bod dawn anhygoel gan Proffesor Wolf ac yn tyngu mai'r gwersi oedd uchafbwynt ei wythnos.

'Wel, dwyt ti'n ddiawl gwirion, ta?' meddai Annie, gan falio dim am wg Eluned.

* * *

Bu Ernie'n ffodus o'r meddyg ddaeth i'w archwilio, sef Dr Mostyn-Evans. 'Sofffti', chwedl yr hogiau. Gyda chymaint o alw am feddygon ar ddechrau'r rhyfel, rhoddodd ei ymddeoliad naill ochr am ychydig ac ymgymerodd â'i ddyletswyddau gyda chymhelliant. Collodd Dr Mostyn-Evans fab yn ystod wythnosau terfynol y Rhyfel Mawr. Bachgen teimladwy, feiolinydd dawnus. Dyna beth ddeallodd Ernie'n ddiweddarach beth bynnag a byth ar ôl hynny, ni allai sôn am y rhyfel heb fynegi ei ddiolchgarwch i'r doctor ac i Now-How.

'Cofia sôn dy fod ti'n gallu chwarae'r piano,' meddai Now wrtho'r Sadwrn cyn yr archwiliad meddygol. 'Pala glwydda os oes rhaid.'

'I be', Mr Owen?'

'Am fod miwsig a ballu'n bwysicach adeg rhyfel nag unrhyw adeg arall.' Gwawriodd ar Annie beth oedd tu ôl i gyngor Now ac yn slei bach, llithrodd ei llaw i'w boced, cydio yn ei law yntau a'i gwasgu'n dynn.

'Beth ydi'ch gwaith chwi, Mr Walters?' gofynnodd y doctor iddo. Roedd eisoes o'r farn na fyddai nerfau'r hogyn yn caniatáu iddo ymladd, ond credai Ernie mai ei ymateb i'r cwestiwn hwn a seliodd ei dynged.

'Pianydd, doctor. Er ar hyn o bryd, rhaid i mi weithio mewn siop i wneud fy mywoliaeth.'

'Felly'n wir...' a syllodd Dr Mostyn-Evans yn ddwys ar ddwylaw gwelw Ernie. 'Efallai byddai'n werth i chwi wneud cais i ENSA.'

* * *

Daeth pryder Ernie â gwirionedd effaith y rhyfel i bwyso drachefn ar Annie. Gwyddai, Ernie neu beidio, na fyddai'n gyfnod ffafriol i'r Golden Eagle ychwaith. Ar y cychwyn, bu mynd ar bopeth, wrth i bawb storio dillad newydd ar gyfer dyfodol ansicr. Wrth i'r hen stoc werthu, daeth eitemau llwm a phlaen i gymryd eu lle. Cyn bo hir, diflannodd y sanau neilon a daeth cwponau i wastadu'r hyn a brynwyd gan bawb. Bu Annie a'i hinjan wnïo'n hanfodol i gyfraniad Amlwch tuag at ymdrech y rhyfel ac eto hiraethai am gyfnod y sgerti hirion, sidan, neilon a thrimins ar bopeth.

Dechreuodd Vera, dymi'r siop, edrych yn blaen a thlodaidd, ei sgerti ac nid ei chobenni oedd yn sgimpi bellach. Roedd ei gwallt seliwloid, gyda'i donnau tynion yn hen ffasiwn ac allan o gydymdeimlad gwallgof â hi, felly penderfynodd Annie ei bod angen mymryn o liw. Benthycodd baent cychod Now, coch hwyliog, tebyg i'r Victory Red a rwbiai ar ei gwefusau ei hun yn feunyddiol. Ar y pryd, ni olygai'r coch buddugoliaethus ddim iddi. Dyheai am rywbeth – unrhyw beth – i ddod â'r cwffio i ben. Ond, gydag amser, daeth i werthfawrogi arwyddocâd buddugoliaeth yn erbyn cyfundrefn a fynnai ddifa hogiau fel Ernie, teuluoedd fel y Wartskis, Now am fod mor ysgarlad ei wleidyddiaeth â gwefusau Vera, a hithau am fod mor chwithig â charu'r fath bobl.

* * *

Daeth yn glir erbyn egwyl perfformiad cynta'r pantomeim fod Henry Cyril Paget a'i gwmni wedi cipio calonnau swrth pobl Llanedwen. Sioe i'r bobl oedd hon i fod ac wedi derbyn eu gwahoddiadau megis gwysiadau, synnwyd y bobl hynny o gael cynnig rhyddid yn hytrach na'r ddedfryd o gaethiwed a ddisgwyliasent.

'Bara a syrcas – cadw'r werin yn eu lle…' meddai Now-How.

'Naci, Now,' torrodd Annie ar ei draws, 'cofia iddo yrru'r hwch drwy'r siop i godi ein calonnau ni.'

Gwenodd Now. Edmygai'r Marcwis am dorri pob rheol a dymchwel disgwyliadau marwaidd ei ddosbarth dirywiedig. Gwyddai hefyd fod herio Annie'n sicrhau gwell stori, byddai ei bochau'n cochi'n ddel a'i llygaid yn fflachio fel saffirau. Fel pawb arall, deuai pethau gloywon â chysur i Now hefyd.

Caeodd yr hanner cyntaf mewn tawelwch. Am rai eiliadau, syllodd pobl Llanedwen ar y cyrtens pinc ac yna daeth bloedd wrth i Wil Bwlch dreulio ac yna fynegi ei wynfyd, o fod wedi gweld coesau siapus Pansy Bassett yn camu a dawnsio o flaen ei lygaid. Ar hynny, deffrodd pawb arall, gan guro'u dwylo a'u traed, gweiddi a chwibanu.

Goleuodd wyneb Mr Keith ac aeth o gwmpas yn cofleidio'r cast, gan eu gorchuddio mewn cwmwl o fwg ei sigâr. Ynghanol y miri, safai Henry Cyril yn yr asgell a golwg ddwys a phell arno wrth iddo baratoi ei hun ar gyfer ei ddawns. Agorodd y llenni drachefn ar olygfa nas gwelwyd ei math erioed: nid ar lwyfannau Shaftesbury Avenue, nid hyd yn oed yn neuaddau ysblennydd Ninefe gynt.

Addurnwyd y llwyfan â jewels, rheiny'n hongian yn fwclis llaes uwchben y llwyfan ac yn arllwys o gistiau gorlawn nes dallu pawb. *Interlude: In the Cave of Jewels,* meddai'r rhaglen, ond hyd yn oed i'r sawl a'i darllenai, ni ddaeth hyn yn agos at eu paratoi ar gyfer yr olygfa. Deffrodd miwsig y ffidil a chwifiodd Henry Cyril i ganol y jewels, ei wyneb yn llawn syndod a chwant. Troellai'n araf yn eu plith, ei freichiau'n ymestyn yn addolgar a'i gefn yn cyrlio fel neidr. Cydiai mewn rhaffau o berlau, gan eu gwasgu a'u rhwbio yn erbyn ei gorff, taenodd ei hun dros y cistiau, gan anwesu eu cynnwys. Deffrowyd cynyrfiadau annisgwyl ac anghyfarwydd ymysg y gynulleidfa ac ni fynnent i'r miwsig na'r sgleinio na'r dawnsio ddod i ben.

Prin y sylwodd neb pan newidiodd cywair y miwsig o'r synhwyrus i'r prudd. Roedd Henry Cyril ar wastad ei gefn ar un o'r cistiau erbyn hynny, un goes ac un sliper sidan yn ymestyn at y nenfwd, un fraich yn troelli'n araf a'r llaw arall yn cydio mewn diemwnt anferth, gan ei chyfeirio a'i throi tua'r golau nes iddi wreichioni a thanio. Yna, trawyd anghytgord ar y ffidil a diffoddwyd y golau. Daeth ebwch galarus o'r gynulleidfa a gwyddai Henry Cyril iddo lwyddo cyffwrdd y bobl am y tro cyntaf yn ei fywyd a mynegi gwerth a gwirionedd i'w fodolaeth.

Agorodd y llenni drachefn a gyda'r llwyfan yn amddifad o *jewels*, esboniodd arwyddocâd y weledigaeth ar gân i Pansy:

The vision fled – a flimsy scene;
Alas alack – 'twas but a dream!

Meimiodd Henry Cyril gyda mwy o daerineb nag â haeddai'r geiriau a diolchodd fod Gwynfor a'i lais crisial tu cefn iddo, gan ei fod y foment honno dan ormod o deimlad i ynganu dim.

Drwy gydol y perfformiadau ac wrth i rwysg y pantomeim ledaenu'i lawenydd i'r plwyfi cyfagos, bu Eluned yn dawelach na'r disgwyl, bron nad ymddangosai'n ddigalon. Gwadodd hyn wrth i Annie a Pansy ei holi, a gwên egwan gafodd Billy Baldini wrth iddo glapio'i bochau'n dyner a'i hannog, 'cheer up, rhen hogan!'

Daeth ei hanhwylder i sylw Henry Cyril ac ar noson olaf y pantomeim, cydiodd ei llaw a'i thywys i'w ystafell wisgo. Wrth eneinio'i wyneb a hithau'n eistedd wrth ei ymyl, ei dwylo'n dwt ar ei glin, dechreuodd ganmol y cynhyrchiad a diolch iddi o waelod calon am daro ar y fath syniad gwych o bantomeim i bawb. Roedd ymatebion Eluned yn dawelach a mwy gwylaidd nag arfer a brawychwyd y Marcwis bod ei fascot, ei awen, ei ysbrydoliaeth, yn dechrau pylu.

'Doeddwn i'n dallt dim,' meddai Eluned yn swil. 'Saesneg oedd o. Roedd 'na ormod o Saesneg i mi.'

Rhoddodd Henry Cyril ei bwff powdr i lawr yn araf a throdd ei sylw o'r drych ac ati hi. Edrychodd yn daer arni ac yna, meddai; 'spectacle Cymraeg – cawn wledd o Gymraeg!' a gwenodd Eluned. 'Lle cawn ni actors Cymraeg? Mr Keith can find them i ni.'

Cofiodd Eluned iddi weld drama Gymraeg unwaith; Rhys Lewis. Esboniodd y stori i'r Marcwis ac ni allai yntau guddio'i siom. 'Dim dawnsio?' Na, na chanu, na gwisgoedd llachar ychwaith a gwyddai'r ddau na wnâi hynna mo'r tro. Rhoddodd Henry Cyril ei air i Eluned y byddai'n canfod rhyw fodd, rhyw gyfrwng i gyfieithu ei ogoniant i'r Gymraeg. Gan fod ei ffydd hithau ynddo'n ddiderfyn, bu hyn yn ddigon i godi'i chalon yn ôl i'r entrychion drachefn.

13

AR SAIL EI ddehongliad o Perfidia ac Alexander's Ragtime Band, enillodd Ernie le iddo'i hun fel cyfeilydd i ENSA. Fe'i parwyd â blonden o gantores, siarp ei hymddangosiad a fflat ei mynegiant, y ddau gyda'i gilydd yn cadarnhau'r hyn oedd yn ddihareb, sef mai llythrennau am Every Night Something Awful oedd ENSA.

Roedd Annie a Now am baratoi swper arbennig cyn iddo gychwyn ar ei daith a chan na allai Annie ddarparu fawr o ddim tu hwnt i datw pum munud, cymerodd Now arno'i hun i goginio a gweini. Cyfarfu Ernie ag Annie tu allan i'r Avondale a chychwynnodd y ddau am fwthyn Now ger y porthladd.

'Dwi 'di gadael Mam yn 'i gwely,' meddai Ernie.

'Ydi hi'n wael?'

'Nag ydi, meddai'r doctor,' a tharodd olwg ar Annie na fyddai byth wedi'i fentro ychydig fisoedd ynghynt. 'Be gawn i'w fyta tybed?'

'Paid â chodi dy obeithion. O'i nabod o, mi gawn ni chwisgi ac ella bydd angen hwnnw arnon ni.'

Ni fu Annie yng nghartref Now tan y noson honno ac ni allai ddychmygu beth fyddai'n ei disgwyl.

Roedd Now yn llewys ei grys gwyn, gyda barclod streips am ei ganol a'i grysbais ciniawa wedi'i hepgor am y tro, yn dwt ar gefn un o'r cadeiriau o gwmpas y bwrdd. Rhoddodd wydriad o Johnnie Walker i'w westai syn. Roedd lliain gwyn startsiog a chanhwyllau ar y bwrdd a deuai oglau da o'r gegin.

'Cimwch,' meddai.

'Lobster? Ches i rioed lobster o'r blaen!' Roedd Ernie wedi cynhyrfu drwyddo.

'Beth amdanat ti Annie?'

'Siŵr iawn 'mod i wedi cael lobster: lle ti'n meddwl dwi 'di bod yr holl amser 'ma – dan fwcad?'

* * *

Bu'n amser maith ers i Annie gael cimwch o'r blaen, yn agos i ddeugain mlynedd – Awst 1902 a bod yn fanwl. Yn y Plas, wrth gwrs, ac ar blatiau gydag ymyl aur a border o rosod pinc ynghlwm â chyrlen o ruban glaswyrdd. Siampên a yfwyd y noson honno, fel roedd yn gweddu i ddathliad. Mi roedden nhw'n gynulliad rhyfedd: y hi ac Eluned a Pansy wedi ymdaclu yng ngwisgoedd gwychaf y theatr, y Blaidd yn ei gôt gaenog arferol, Gwynfor mewn siwt ddu a Henry Cyril Paget a Hwfa Môn yn urddasol yng ngynau'r Orsedd.

Daeth yr Eisteddfod Genedlaethol i Fangor y flwyddyn honno ac urddwyd Henry Cyril Paget fel aelod o'r Orsedd. Sylweddolodd fod yr Eisteddfod yn gyfle iddo dywynnu yn ei Gymreictod, plesio Eluned yn ddi-ben-draw a chanfod llwyfan teilwng i ddoniau Gwynfor.

Lluniodd Eluned wisg a phenwisg Eisteddfodol iddo o sidan gwyrdd a phrynodd yntau froets gan Mr Wartski ym Mangor – rhuddemau a diemyntau ar ffurf draig – a'i gosod ar ei benwisg, yn union uwchben ei lygaid chwith. Wrth edmygu ei ysblander yn y drych, penderfynodd ar 'Cadrawd Hardd' fel enw barddol. Fel gydag unrhyw rôl arall aeth ati'n ofalus i baratoi. Yn wahanol i'w gyndeidiau ac eraill o'i ddosbarth, gwyddai na wnâi'r tro iddo gyfarth ychydig o gefnogaeth lugoer yn y Saesneg. Yr oedd am i'w bresenoldeb, ei ymddangosiad a'i eiriau gynrychioli ei werthfawrogiad o Gymru, o Lanedwen ac yn enwedig o Eluned.

'Rwyf angen cymorth,' ymbiliodd arni. Cychwynnodd ar ei anerchiad: 'Fy annwyl gyfeillion tlws...' ac ni wyddai sut i barhau.

'Mi faswn i'n ddigon diolchgar o glywed hynna,' meddai Eluned, ond gwyddai hithau y byddai pobl yn disgwyl mwy a hwythau wedi gwneud yr ymdrech. 'Beth am ofyn i fos yr Eisteddfod ddod draw? Mr Môn, yr Archdderwydd?'

Roedd Hwfa Môn yn falch o'r gwahoddiad ac o'r cynnig o gar i'w gludo i'r Plas. Fe'i tywyswyd o gwmpas y Gaiety Theatre a throdd ei frwdfrydedd yn amheuaeth. Gofynnodd, cyn daweled ag y gallai i Eluned, 'beth yn hollol yw pwrpas y lle hwn?'

'Dod â phleser diniwed i'r werin, Syr,' meddai hithau, gan ei ddrysu'n enbyd.

'Hwfa, fy nghyfaill hoff ac urddasol,' meddai'r Marcwis, gan ystumio'n fonheddig tuag ato, 'dewch i'm *dressing room* am de a theisennau bach hyfryd. Dewch chwithau Eluned ac Annie annwyl a chawn siarad Cymraeg gyda'n gilydd.' Nododd yr Archdderwydd y deyrnged i'w urddas a thybiodd efallai nad oedd y Marcwis mor wamal â'i olwg.

Dros de, gyda phresenoldeb Eluned ac Annie yn lleddfu'r

dieithrwch a Pansy ar ei gorau'n gweini, dechreuodd yr Archdderwydd ymlacio ac ymsirioli, ei wyneb digroeso'n anwylo a'i chwerthin yn trybowndio o gwmpas yr ystafell. Dywedodd Pansy nad oedd hi erioed wedi cwrdd â Derwydd o'r blaen a brysiodd Hwfa Môn i esbonio ei fod hefyd yn weinidog gyda'r Annibynwyr.

'Blimey,' meddai Pansy, gan droi at y Saesneg yn ei syndod, 'rydych chi'n *remarkable gentleman*, Mr Môn!' a gwridodd yntau at ei glustiau.

'Bydd yn bleser ac yn anrhydedd i mi, f'Arglwydd,' meddai Hwfa, gan sychu tamaid o eisin o gornel ei geg, 'cael eich croesawu i Orsedd yr Eisteddfod.'

Anghofiodd y Marcwis i'w holi ynglŷn â'r anerchiad a gadawodd Hwfa Môn y prynhawn hwnnw, gyda'r Awen ac yntau'n chwil ar sent meddwol Pansy.

'Who was that old windbag?' gofynnodd Mr Keith ar ei ôl, er mawr ddifyrrwch i Annie. Ond mi roedd y Marcwis yn llawer mwy parchus:

'Hwfa Môn – a very great poet. He would make a splendid Lear to my Cordelia, don't you think, Alex?' Henry Cyril Paget oedd yr unig un i alw Mr Keith yn Alex. Heblaw am ei fam, efallai.

* * *

Roedd Ernie am ei throi tuag adre. Meddalodd dan ddylanwad y chwisgi a'r bwyd cyfoethog a mynnai weld a oedd Minnie'n well.

'Fedri di ddim picio adra bob munud a chdithau'n entertenio'r trŵps, cofia,' meddai Annie. A daeth golwg swil arno.

'Edrycha mlaen – mi gei di hwyl, lledu dy adenydd,' meddai Now.

A chydag anadl ddofn, meddai yntau, 'Dwi'n bwriadu gwneud hynny, Mr Owen.' A gwenodd y ddau arall arno'n faldodus. 'Dach chi'n dod hefyd Annie?'

'Mi arhosa i yma am ychydig, os nad oes wahaniaeth gen ti, Ernie,' a chan droi'n goeglyd sidêt at Now, ychwanegodd 'os ydi hynna'n iawn hefo Mr Owen, wrth gwrs.'

'Pryd ges di gimwch, felly?' gofynnodd Now ar ôl i Ernie adael. Ni chafwyd cyfle i ymhelaethu ar y gorffennol, gan mai Ernie a'i ddyfodol a hawliai'r sgwrs hyd at hynny.

'Steddfod 1902.' Edrychodd Now yn syn arni ac aeth hithau ymlaen, wedi ymgolli yn ei hatgofion. 'Wyddost ti be, Now, tydw i'n fawr o ddynes Steddfod, ond mi roedd honna'n wahanol, yn sbesial.'

* * *

Cael teithio i'r Brifwyl ym Mangor yng ngherbyd smartia'r Plas i gychwyn arni a chyda'r Marcwis a'i chyfeillion gorau. Roedd seti'r car mor feddal a soffas y Plas a Pansy'n suddo i'w lle a'i ffrils yn codi nes i'w gwddf ddiflannu, gan wneud iddi ymddangos mor grwn a disylwedd â phwff powdr y Marcwis. Ystumiodd Eluned at y nenfwd ac Annie'n gwichian o ganfod haid o geriwbiaid wedi'u paentio arno a'r rheiny'n ymdreiglo drwy'i gilydd yn erbyn cefndir o gymylau pinc.

'Maen nhw'n dlws, tydyn?' meddai'r Marcwis, wedi'i blesio'n arw gyda'i syndod.

Fe'i dilynwyd yn ddiweddarach gan gerbyd arall, hwnnw'n ddu a llwm fel hers, yn cludo Gwynfor a'r Blaidd i'r un lle â hwythau. Roedd y Blaidd wedi mynnu ar dawelwch a sobreiddiwch i Gwynfor cyn y cystadlu, dim siarad na chwerthin, er mwyn gwagio'i feddwl ar gyfer y ffrwydrad o liw a ddeuai wrth iddo ddechrau canu.

Y Cadrawd Hardd oedd y tlysaf o'r holl Dderwyddon y flwyddyn honno yn yr Orsedd. Rhoddodd Eluned bwniad i Annie, gan ystumio at esgidiau mawr duon a godre trowsusau'r Orsedd yn hongian dan eu gwisgoedd a sibrydodd, 'yli, blêr'. Roedd y Marcwis, wrth gwrs, wedi ymorol cael slipars gemog gwyrdd, gyda sawdl fach gron a chynnil a theits cochion. Ond er bod yr haul yn tywynnu a'r Archdderwydd yn taranu, roedd diflastod ailadroddllyd y seremoni'n bygwth troi'r diwrnod yn ffadin. Camai pob un oedd i'w urddo at yr Archdderwydd, ysgwyd ei law a bloeddiai yntau'r un peth drosodd a throsodd.

Rhusiodd y Marcwis. Yn groes i'w ddisgwyliadau, ni fyddai gofyn iddo ddweud yr un gair. Yntau gydag anerchiad byrlymog yn ei boced a neb bellach i'w chlywed. Crychodd Eluned ei thalcen a daeth awydd dychwelyd i'r Plas ar Annie.

Pan ddaeth ei dro, yn hytrach na chamu at Hwfa Môn, llamodd y Marcwis i ganol cylch y gynulleidfa a'u cyfarch ar lafargan: 'Fy annwyl, annwyl gyfeillion tlws...' Gydag un ystum lefn agorodd ei gimono gwyrdd, ei goler llydan o fwclis yn serennu'n erbyn ei diwnig wen. Ar flaen ei draed a chan agor ac ymestyn ei freichiau, rhoddodd foliant chwim i'r haul. Plygodd ei goes yn araf, cododd un droed o'i flaen, yna, trodd ei goes nes bod honno'n ymestyn tu ôl iddo a'i ddwylo'n estyn allan yn dyner at ei bobl. Troellodd a chwympodd yn esmwyth i'r llawr, ei lewys yn gorwedd megis baneri bob ochr.

Cododd yn unionsyth a chyda fflap o'i lewys, swagrodd at yr Archdderwydd.

'Cadrawd Hardd,' meddai yntau ac ysgwyd ei law yn wresog. Ni amharwyd ar y seremoni. Pasiodd datganiad y Marcwis megis amrant gwyrthiol, gan adael pawb â'u gwynt yn eu gyddfau, yn amau'r hyn a welsant a Hwfa Môn yn grediniol a bodlon mai iddo ef yn unig y bwriadwyd y fath wrogaeth.

Wrth ddilyn yr Orsedd i fyny'r allt at y Pafiliwn, dywedodd Eluned na fu hi erioed ym Mangor o'r blaen. Debyg na theithiodd ymhellach byth wedyn, er nad oedd dim dicach o hynny. Cymharodd Pansy'r ddinas â Llundain, gan ddod i'r casgliad bod Llundain yn llawer mwy. 'Does na ddim Steddfod yn Llundain,' meddai wedyn. 'Digon o *funny geezers,* ond neb tebyg i Hwfa Môn.'

'Na Henry Cyril Paget chwaith,' ychwanegodd Eluned a thawelwyd y tair wrth iddynt sylweddoli nad oedd, na fu ac na fyddai neb tebyg i'r Marcwis ac mor ffodus oeddynt i fod yn fyw'r un pryd â fo.

Roedd y Pafiliwn yn aruthrol o fawr, yn boeth a gorlawn, a chododd y fath dyrfa ofn ar Eluned ac Annie. Cydiodd Pansy yn nwylo'r ddwy a chyda gwên ddel a hunanfeddiannol, ymdaflodd ei hun i ganol y dorf, gan lusgo'r ddwy arall ar ei hôl. 'Scuse me, diolch.' Cliriwyd trywydd rhwydd iddynt at flaen y llwyfan, lle bachodd Pansy tair o'r seddi gorau, yn union y tu ôl i'r Orsedd a'r byddigions.

Yn y seddi hyn bu raid iddynt aros dros bedair awr cyn clywed Gwynfor yn canu. Llethai'r beirniaid unrhyw gyffro a grëwyd gan y corau a'r telynorion. Roedd un o'r rheiny'n neilltuol atgas yng ngolwg Annie a suddai ei chalon pan ymddangosai yn ei siwt lychlyd i ladd ar bawb, gan chwerthin yn fras at ei ffraethineb ei hun. O'i weld yn hawlio'r llwyfan drachefn a thrachefn, dobiai Pansy bowdr ar ei thrwyn yn bigog a sipiai Eluned o'i fflasg lemonêd. Syllai Annie ar y Marcwis ddwy res o'u blaenau, ei gefn yn syth a'i osgo'n raslon. Siaradai gyda'r Archdderwydd o bryd i'w gilydd, er mwyn atal hwnnw rhag pendwmpian. Weithiau, deuai chwa o'i sent i'w chysuro.

Roedd Eluned yn cysgu'n braf pan ddaeth Gwynfor i'r llwyfan a chafodd y fath bwniad gan Pansy nes iddi roi ebwch gwag. Chlywodd neb mohoni, heblaw am y Blaidd a edrychodd yn hyll i'w chyfeiriad drwy driongl y piano a'i chaead. Wedi sadio'i hun, rhedodd ei law dros ei wallt afreolus, cyn bowio dros y fysell a pheri i'r miwsig fyrlymu. Daeth golwg arallfydol dros Gwynfor ac er bod ei sodlau'n solet ar estyll y llwyfan, ymddangosai'n dalach, fel petai ar fin esgyn. Yna, llenwodd y Pafiliwn â'i holl dynerwch a'r tynerwch hwnnw'n gan mil purach o gael ei gynilo mor ofalus i ofynion y gân.

Ni allai Annie ddweud a ganodd yn well nag arfer y prynhawn hwnnw, ond roedd y miwsig mor wahanol i ganigion ysgafn y pantomeim ac roedd ymateb y gynulleidfa'n ddwysach. Ond nid dwyster y capel mohono chwaith. Ar hyd a lled y Pafiliwn, trodd meddyliau rhai at eu cariadon cyntaf, tra ysai eraill am ei ganfod.

Ymysg y dyrfa roedd Lisabeth Owen, ei dagrau'n llifo, o dan ddylanwad rhyw fath ar dröedigaeth. Roedd wedi gadael nodyn i Enoc y bore hwnnw: 'Wedi mynd i'r Steddfod i weld beth ydi'r holl ffys hefo'r hogyn 'ma.' Cerddodd bob cam rhag iddo yntau ei gweld yn dal y trên. Ac ar ôl rhai oriau o amau ei challineb, sylweddolodd, yn wir, mai pechod fyddai amddifadu'r byd o lais y bachgen.

A dyna union eiriau'r beirniad. Nid y pwysigyn llychlyd y tro hwn, ond hen ŵr annwyl gyda mwstásh mawr gwyn. Efallai nad oedd o'n annwyl o gwbl fel arfer, ond erbyn iddo ddod i'r llwyfan, roedd pawb wedi ymdyneru ac am glywed a meddwl yr hyn sydd orau am eu cyd-ddynion.

'Mae'n ifanc, wrth gwrs,' meddai'r beirniad, 'a chanddo lawer i'w ddysgu...' Bron na ddeuai ebwch o'r llawr. 'Ond, dywedaf hyn yn enw rhagoriaeth a safle ein cerddoriaeth, oblegid cynrychiolir yn llais y llanc ifanc hwn holl ddyhead ac addewid y genedl. Byddwch yn cofio hyd eich einioes mai yma, ym Mangor, y clywsoch am y tro cyntaf lais gogoneddus Mr Gwynfor Ellis, tenor buddugol Eisteddfod Genedlaethol 1902!'

Rhuodd y dyrfa ac, yn dawel, ymlwybrodd Lisabeth at y drws ac am adref. Ar bwys Pont y Borth, stopiodd cerbyd y Marcwis wrth ei hymyl. 'Gawn ni fynd â chi adra?' holodd Eluned a bron na lusgwyd Lisabeth i gefn y car at y cwmni, oedd yn cynnwys yr Archdderwydd erbyn hyn.

'Roedd eich Gwynfor bach yn wych,' meddai'r Marcwis a Hwfa'n ei borthi'n huawdl. 'Rhaid i chwi ymuno â fo a ninnau yn y Plas am ddathliad – parti bach i'w anrhydeddu.'

'Fiw i mi,' meddai Lisabeth a ddaliai ochr ei sedd nes i'w migyrnau wynnu. 'Rhowch fi i lawr ar ben y lôn, da chi a gwnewch chithau'n siŵr, Syr,' gan gyfeirio ei hymbil at Hwfa Môn, 'fod yr hogyn yn dychwelyd adra'n saff ac mewn cyflwr parchus.'

'Madam,' digiodd Hwfa, 'ein bwriad yw dathlu yn y modd gweddusaf ac yn unol ag urddas y Brifwyl!' a chyd hynna, gwyddai Lisabeth ei bod wedi'i threchu'n llwyr, ond nid ildiodd i'r gwahoddiad i ddathlu.

Os na fu'r parti'n ddigon parchus yn nhyb Lisabeth, yna doedd hi ddim callach a pha warth oedd yna mewn mymryn o win pefriog ac ychydig o ddawnsio? Hwfa Môn, y parchusaf o bawb, oedd y mwyaf eiddgar, beth bynnag. Gyda lliain main a brodiog wedi'i wthio i goler ei urddwisg, rhwygodd drwy'r cimwch a llowciodd y siampên.

'Mae'r bwyd yn eich plesio Archdderwydd?' gofynnodd y Marcwis.

'Siort ora.'

Eisteddai Gwynfor ar ben y bwrdd yn ddwysach a thawelach na phawb. Roedd y Blaidd mewn mwy o hwyliau hyd yn oed, ac ar ôl y swper, bloeddiodd fod angen miwsig a symudodd y cwmni at biano'r Neuadd Fawr.

'A polka, Proffessor!' galwodd y Marcwis, gan foesymgrymu o flaen Annie, cydio yn ei llaw a'i throelli'n ysgafn o gwmpas y llawr i ogoniant dehongliad y Blaidd. Gan ddilyn yr arweiniad, cythrodd Hwfa Môn at Pansy a'i chalpio hithau i fyny ac i lawr yr ystafell, nes peri iddi weryru rhwng syndod ac ofn. Dawnsiodd Gwynfor gydag Annie wedyn, gan mai un gwantan oedd y Marciws, un a ddawnsiai gyda mwy o angerdd nag o egni.

'Mae'r Marcwis yn well dawnsiwr na thi,' hisiodd Annie.

'Tydi o ddim yn denor sy'n 'cynrychioli holl ddyhead ac addewid y genedl' chwaith, nag ydi?' a chwarddodd am y tro cyntaf y noson honno, nes colli ei hunan feddiant am ychydig a chaniatáu i Hwfa Môn yrru Pansy druan benben â hwy.

'Steady on, Hwfa!' meddai hithau.

Tarfwyd ar sgwrs Eluned a'r Marcwis. Galwodd yntau am gân gan y tenor buddugol a gwnaeth gais am 'Nant y Mynydd'. Eisteddai Pansy, Eluned ac Annie'n un rhes o'i flaen, gyda Pansy'n annog pawb i ddynwared lli'r anfon ac ehediad yr adar bach â'u dwylo, gan ennyn dig y Blaidd. Ar ddatganiad Gwynfor mai mab y mynydd ydoedd yntau, gwelwodd yr Archdderwydd a rhoddodd blwc, cyn cythru am y drws. Aeth Pansy ar ei ôl, gan ystumio i bawb aros ac i Gwynfor orffen y gân. Sleifiodd Eluned ac Annie ar eu holau wedyn, gan oedi yn nrws y Plas. Ychydig lathenni o'u blaenau, â'i gefn tuag atynt, diolch i'r drefn, roedd Hwfa Môn yn chwydu'i berfedd yn fflatshis mawrion ar y rhosod a Pansy'n rhwbio'i gefn ac yn canu grwndi iddo; 'dyna ni, Mr Môn – better out than in.'

Yn gwbl ddi-lol, ymgeleddodd Eluned ei urddwisg a galwyd am gerbyd i'w gludo'n ôl i'w lojins ym Mangor. Ifan Huws oedd y gyrrwr – un gwyllt, ac fe ataliwyd y car gan blismon cyn cyrraedd y Borth. Cafwyd yr hanes yn ddiweddarach gan Ifan:

'Ydach chi'n gwybod pwy ydw i?' rhuodd Hwfa.

'Gabriel yn ôl eich golwg chi, Syr,' meddai'r plismon. A bu hynna'n destun sbort yn y Plas am fisoedd wedyn.

Doedd o'n fawr o barti heb Hwfa ac ar ôl i Gwynfor ddweud bod yn well iddo yntau ei throi hi neu mi fyddai'n cael crasfa, doedd waeth i Annie ac Eluned ddychwelyd eu gwisgoedd a chychwyn am adref. Ffeiriodd Annie ei ffrog binc fflownsiog (byddai Mr Victorini wedi dotio ati, meddyliodd) am ei chalico blodeuog a'i barclod a thynnodd Eluned ei mantell frocêd a'r tyrban aur a wisgwyd gan Sidney wrth ddynwared y *genie*. Trodd yn ddwys at Annie.

'Mae Gwynfor yn ein gadael ni. Mae Henry Cyril wedi

talu am le iddo yn y sgŵl of miwsig yn Llundain,' ac estynnodd hances o'i llawes i sychu'i thrwyn.

'Paid ag ybsetio, Eluned. Mi fydd o'n hapusach yno nag ydi o yma ac i ti mae'r clod am hynna.'

'Dwi'n gwybod,' meddai Eluned. 'Meddylia amdano fo'n torri'i galon yn yr hen stesion 'na tan...' a dechreuodd gyfri ei bysedd; 'neintîn fiffti tŵ! O, diar – lle byddwn ni i gyd erbyn hynny, tybed?'

* * *

Wedi esbonio hanes yr Eisteddfod i Now, rhoddodd Annie ochenaid ac yn y tawelwch a ddilynodd, gwrandodd ar y miwsig a ddeuai o'r gramoffon. Cân hen-ffasiwn acordion a llais merch, yn herfeiddiol a hiraethus.

'Be 'di'r miwsig, Now?'

'Fréhel. Ro'n i wedi gwirioni hefo hi ers talwm.'

'Sut un oedd hi?'

'Digon del am wn i. Hogan nobl, dalog – wedi gweld dipyn o'r byd, ti'n gwybod.'

'Fath â Pansy, felly,' a chytunodd Now gyda gwên. 'Ffrensh oedd hi?'

'Ne sais-tu pas?'

'Yli, Now, dwi'n dallt 'run gair o blydi Ffrensh!' a chwarddodd y ddau lond eu boliau.

'Mae'n hwyr, yr hen 'ogan. Mi ddanfona i di adra.'

'Na, paid â thrafferthu. Mi arhosa i, os ydi hynna'n olreit gen ti. Dwi'm isio bod ar ben fy hun heno. A beth bynnag, mae'n bryd i mi weld os 'di'r *know-how* gan Now-How.'

14

Eisteddai Henry Cyril Paget wrth ei ddesg goesfain aur, gyda Mr Keith ar ei dde a dyn diarth ar ei chwith. Roedd y tri ohonynt yn canmol Annie i'r cymylau a hithau'n sefyll o'u blaenau'n teimlo braidd yn swil.

'Geneth addawol,' meddai'r Marcwis.

'Plucky,' meddai'r Mr Keith a gwenodd y dyn diarth arni. Gwenodd hithau'n ôl, heb fawr o feddwl fod popeth ar fin newid.

'So, that's settled,' meddai'r dyn diarth mewn acen ddieithriach fyth. Doedd Annie ddim yn deall ac edrychodd yn syn ar y tri'n tywynnu eu hewyllys da tuag ati.

'Annie, Mae Mr Wartski am i chwi ei helpu yn y siop ddillad,' meddai'r Marcwis.

'Na – dwi'm isio. Dwi isio aros yma!'

'Silly girl,' meddai Mr Keith a gwgodd y Marcwis arno.

'Bydd yn gyfle gwych i chi fynd yn ych blaen, yr un fath â'ch cyfaill, Gwynfor.'

Roedd Annie'n crïo erbyn hynny a Henry Cyril yn methu dygymod. Dechreuodd yntau snwffian i'w hances a galwyd ar Eluned i'w hebrwng ymaith i esbonio ymhellach. Roedd hithau'r un mor frwd, yn dweud cyfle mor dda ydoedd a Pansy'n cytuno, gan ychwanegu y byddai'n cael dewis o ddillad gorau'r siop. Doedd gan Annie ddim awydd cael dilladau'r siop, roedd yn well ganddi wisgoedd y theatr. Roedd y rheiny'n llawn addewid gweddnewidiad, a ffawd, roedd modd ei ddewis a'i hepgor ar fympwy.

'Dwi'm isio'ch gadael chi!' ymbiliodd a'r ddwy'n pwyso arni fod angen iddi adael er mwyn osgoi bod yr un fath â nhw.

'Pam?'

'Dwyt ti ddim isio bod yn unig.'

'Dydach chi ddim yn unig, ond mi fyddwch chi'n fwy unig os ydw i ym Mangor, yn gweithio mewn siop ddillad!'

''Dan ni'n wahanol, fedrwn ni ddim newid, na dygymod,' meddai Eluned. 'Mae'n well o lawer bod yr un fath â phawb arall.'

Cytunodd Pansy, gan ddweud fod bywyd yn haws pan fydd rhywun yn 'normal' a 'respectable'.

'Parchus,' meddai Eluned wedyn ac aeth y gair fel cyllell drwy Annie. Esboniodd fod Henry Cyril Paget am fynd i ffwrdd am ychydig, i ddawnsio ar lwyfannau Ewrop.

'Dos hefo fo, 'ta ac mi wna i dy job di tan ddoi di'n ôl.'

'Na, meddylia peth mor wirion faswn i yn ninasoedd Ewrop.'

'Beth am Pansy? Beth am Cinderella?'

'Rhywbryd eto, *maybe*,' meddai hithau'n drist.

'Pam fod rhaid i mi fynd? Mae ganddo ddigon o bres i'n cadw ni i gyd...'

Ni feddyliodd Annie am eiliad fod tawelwch ei chyfeillion yn arwyddocaol.

Byddai wedi bod yn well, wrth i'w ffortiwn leihau, pe bai Henry Cyril Paget wedi cymryd cyngor y banc, yn hytrach nag arweiniad Eluned a Mr Keith. I Eluned, roedd ei ddawn yn werthfawrocach na rhuddemau a chredai y byddai'r cyfandir cyfan yn gytûn â hi. 'You'll be a sensation!' meddai Mr Keith. Ond mi roedd dawnsio'r Marcwis yn rhy swrth i'r Ffrancwyr, yn rhy ddirywiedig i'r Almaenwyr a chwerthin wnâi'r Eidalwyr. Gyda'r coffrau'n gwacáu fesul wythnos, penderfynodd Mr Keith na feiddiai fentro'r Marcwis ar lwyfannau Llundain.

Bu'n fisoedd lawer cyn i Annie ddod i wybod hyn a sylweddoli bod Henry Cyril, ar ymbil Eluned, wedi gwneud y gorau y gallai iddi hi, o dan yr amgylchiadau. Bu'n hirach fyth cyn iddi sylweddoli ei wir etifeddiaeth, sef yr esiampl o geinder a osodai ym mhopeth, a herfeiddiwch yn nannedd gwarth.

* * *

Cofiodd hyn pan ddechreuodd ei theulu a'i chymdogion gadw llygaid ar symudiadau Now a hithau o dai ei gilydd ar foreau Sul. Wrth i'r sefyllfa ddod yn hysbys i bawb ac wrth i bobl gynefino â'r tramgwydd, cyfeiriai Buddug at Now-How fel 'Yncl' o flaen y plant. Doedd waeth gan Now fod yn Yncl ddim ac anwybyddodd fursendod y teulu. Ond, ni chollodd Annie erioed gyfle i atgoffa'i chwaer;

'Nid Yncl mohono, Buddug. Tydan ni ddim yn briod a fyddwn ni byth!'

Beth bynnag fyddai ymateb Buddug, yn warth neu'n siom, nid ildiodd Annie unwaith. Serch hynny, parhaodd y plant i alw Now yn 'Yncl', heb falio dim nad oedd yn ŵr i Anti.

Bu ENSA yn fendith i Ernie ac unwaith yn unig y daeth yn ôl i Amlwch yn ystod y rhyfel a hynny ar gyfer cynhebrwng ei fam. Codymodd Minnie a disgyn i lawr y grisiau ar ddiwedd y flwyddyn 1944. Tarodd ei phen yn erbyn y drws ffrynt, a bu'n dridiau cyn i neb weld ei cholli. O ganlyniad, ei chymdogion ac nid Ernie fu'n rhaid dygymod â haen o euogrwydd ar ben eu galar. Penderfynodd Ernie werthu'r tŷ, gan ddweud yn dawel wrth Annie y byddai'n ceisio'i lwc yn Blackpool ar ôl y rhyfel, gan ymresymu y byddai ganddo well siawns o wneud bywoliaeth fel cyfeilydd yno nag yn Amlwch.

'Beth am Bryn?' gofynnodd Annie.

''Dan ni am brynu salon hefo'n gilydd.'

'Gwyn dy fyd ti,' meddyliodd hithau.

Symudodd Annie ar ôl y rhyfel hefyd. Cafodd dŷ cyngor clyd ar bwys yr ysgol newydd. Fe'i haddurnodd yn y modd agosaf y medrai i'w hatgof o Gaiety Theatre y Plas. Y waliau'n binc a glas golau, cymaint o ffigiarins aur ag a ganfu ei llygaid pioden, y llenni'n grychiog a'r clustogau'n ffrils drostynt. Teimlai Now braidd yn chwithig ymhlith y fath fenyweidd-dra, ond deuai draw yn selog bob yn ail nos Sadwrn ar ôl galw yn y siop tsips a'u rhannu hefo Annie'n syth o'r papur ar fwrdd fformica'r gegin binc. Fel arfer, roedd yn well ganddo ei bau ei hun, gyda'i lyfrau a'i gramoffon, ei dŵls a'r creiriau roedd wedi'u casglu ar ei deithiau. Roedd golwg rhy amrwd a diarth ar y rhain i blesio llawer ar Annie. Ar y nosweithiau yr âi hithau draw ato fo, byddai'n rhaid iddo droi wyneb y Bwda at y pared, gan nad oedd hi'n tycio dim am gael 'yr hen ddyn tew 'na'n chwerthin am ein penna ni.'

Arhosodd y ddau'n gytûn yn eu cynefinoedd, eu creiriau a'u chwaethau'n rhy anghydnaws i rannu'r un to. Ac eto, bob penwythnos yn ei dro, byddai un yn mentro i gartref y llall er mwyn dathlu eu gwahaniaethau. Trefniant a siwtiai'r ddau ac a roddai 'fymryn o sbeis' i'w bywydau, chwedl Now.

Weithiau byddent yn cael cinio yn yr Avondale, neu'n mynd i'r pictiwrs, er bod Annie'n grediniol bod y ffilmiau'n dirywio o flwyddyn i flwyddyn.

'Mynd yn hen rwyt ti,' meddai Now.

'Paid byth â dweud hynna,' snapiodd Annie. 'Dwi'n fwy *with-it* na chdi!'

Ymfalchïai mewn bod yn ffasiynol, yn ei greddf i adnabod yr hyd a'r lled diweddaraf i sgert, siâp sawdl a chyt côt. Daliodd ati yn y Golden Eagle, ymhell tu hwnt i ymddeoliad Mr a Mrs Owen, am flynyddoedd wedi i Madge (Pritchard gynt) gymryd drosodd. Fel o'r blaen, rhoddai honno bwys mawr ar gyngor Annie. Dan ei dylanwad, mentrodd gyflenwi yn eu tro'r fath betheuach â'r New Look, Capri pants a theits i ferched Amlwch, gan lwyddo i'w gwerthu i bawb, o'r genod ifanc i Mrs Tudor-Jones a'i hefelychwyr. Arhosodd Annie tan i'r sgerti esgyn ymhell tu hwnt i'r pen-glin. Ymddeolodd, nid am fod ganddi unrhyw wrthwynebiad i sgerti cwta, ond yn hytrach, fel y dywedodd yn hiraethlon wrth Madge, 'fedra i mo'u gwisgo nhw, Madge bach, heb godi pwys ar bobol.'

Daliodd Now ati'n trwsio cychod, ceir, setiau teledu ac ambell i dractor. Ar ôl diddymu'r rasions ar betrol, prynodd Driumph Mayflower du ac ehangodd hwnnw eu gorwelion. Yn y Mayflower yr aethant i gynhebrwng Frank ym Mangor.

Fe'i claddwyd yn yr un fynwent â Cyril. Wrth i bawb adael, arhosodd Now gydag Annie, a syllodd hithau am y tro cyntaf ar garreg fedd ei mab. 'Tyrd, Now,' meddai o'r diwedd; 'gwell i ni beidio mynd i'r te cnebrwn. Mi awn ni am de bach i rywle arall. Mi fasa'r hen Frank wedi lecio hynna'i hun.'

Unwaith, mentrodd y ddau cyn belled â Blacpwl. Roedd Ernie'n cyfeilio i ddawnswyr y Winter Gardens a Bryn ac yntau'n rhannu fflat bach twt uwchben y salon gwallt. 'Mr Brynn's' meddai'r arwydd, mewn ysgrifen coperplêt du ar gefndir pinc gloyw.

'Pam fod isio dwy "en"?' gofynnodd Now.

'Mae'n edrych yn well, rhywsut,' meddai Ernie. 'Fedra i ddim deud 'tha chi pam, chwaith.'

Roedd yna fynd ar y salon ac ar wasanaeth Mr Brynn. Syllodd Annie'n genfigennus ar y merched yn mynd a dod, eu cyrls yn sgleinio'n dwt, a theimlai braidd yn ddi-raen, yn enwedig gan fod Now a hithau am fentro i ddawns yn y Winter Gardens y noson honno. Mewn cwmwl o lacyr, llamodd Mr Brynn ei hun ati a'i chofleidio'n gynnes.

'Rhaid i chi adael i mi roi hairdo i chi, Miss Roberts!'

'Tyrd, Ernie,' meddai Now, 'mi bryna'i beint i ti.'

'Diolch, Mr Owen, ond basa'n well gen i jin an' tonic, plîs.'

''Dach chi ffansi rhywbeth newydd?' gofynnodd Bryn.

'Dwi isio edrach yn sionc ac yn ifanc.'

'*Easy-peasy*, felly, Miss Roberts!'

Ar ôl golchi ei gwallt a rhoi rensiad o las iddo, cydiodd mewn cudyn mawr a'i dorri.

'Gwatsia dy hun, wnei di!'

Diystyrodd Bryn ei phrotestiadau ac aeth ymlaen â'i ddarnio. Teimlai Annie'n reit sâl gan gofio'r tro diwethaf iddi fynnu newid ei gwallt. Fe'i llethwyd gan yr atgof, ond ceisiodd gysuro'i hun bod ugain mlynedd ers hynny. 'Ella'i bod hi'n amser am newid,' meddai'n betrusgar.

'Pan ddaw Ernie a Mr Owen yn ôl, mi fyddan nhw'n meddwl bod rhywun wedi'ch dwyn chi a gadael Kim Novak yn eich lle!'

Chwarddodd Annie, gan fod hyn mor hurt ac annwyl ac ymlaciodd ychydig.

'Wel, my'n diawl,' meddai Now yn edmygus.

'Ges di hwyl arni, Bryn,' meddai Ernie gyda balchder.

'*Ash blonde,*' meddai Annie. 'Roedd yn bryd i mi newid.'

Ni welodd ac ni fynnai Annie adnabod arwyddocâd y lludw'n setlo ar ei phen. Glasodd a chododd ei gwallt yn raddol dros y blynyddoedd, nes troi'n helmed uchel o lafant trawiadol. 'Dwi'n cofio'r adeg,' meddai ambell un, 'pan oedd gwallt Annie Robaits yn felyn fel caneri.'

'Tebycach i fwji erbyn hyn,' fyddai ateb parod y genhedlaeth iau.

Roedd bywyd yn rhy braf a chysurus i Annie boeni'n ormodol am heneiddio. Cawsai bob llonyddwch ac anogaeth gan Now i borthi ei hawydd am fymryn o glamor, fel y cyfeiriai ato. Byddai'n dal i wnïo, addasu, a rhoi cyngor i bawb, o frenhines y Carnifal i famau'r sawl oedd ar fin priodi. Rywbryd ar ôl y rhyfel, dechreuodd deimlo fel petai rhywun wedi plygu ei bywyd yn dwt fel cerdyn Dolig, gan ganiatáu iddi ystyried y gorffennol bron fel dalen arall a'r plyg cysurus yn ei hatgoffa fod y gwaethaf drosodd.

Pan ddeuai ei cholledion yn ôl iddi, byddai'n cofio pawb a phopeth yn un bwrlwm, nes peri iddi ofni am eiliad ei bod ar fin colli'i synhwyrau. Digwyddodd hyn iddi yn y capel unwaith, yr union ac unig dro y bu Now a hithau yno. Aethant i glywed David Lloyd yn canu yn y Capel Mawr. Gwrandodd Annie'n ofalus arno ac ar ddiwedd y gân 'Bugail Aberdyfi', sibrydodd wrth Now, 'Tydi o ddim cystal â Gwynfor – roedd hwnnw'n gallu fflio dros y nodau uchel.' Roedd Now yn hoff iawn o David Lloyd a dywedodd yntau; 'Rho siawns i'r dyn; mae o'n hŷn o lawer, cofia ac yn yfed – nid bod gwahaniaeth gen i am hynny...' Rhoddodd rhywun bwniad ac 'ust' siarp iddo, wrth i'r piano gychwyn drachefn.

'Iesu, Iesu, rwyt ti'n ddigon...' canodd David Lloyd a bu hynny'n ormod i Annie. Aeth i'w bag a chlampiodd ei sbectol haul dros ei hwyneb.

'Hen het wirion,' meddai pawb wedyn, heblaw am Now, pob un yn methu cofio bod ganddi reswm dros ollwng deigryn.

* * *

Roedd Eluned wedi gwneud set o beisiau a ffrog orau i Annie ar gyfer ei swydd newydd. Roedden nhw i gyd yn odidog o dwt a'r ffrog fymryn bach yn wahanol i'r arfer. Ddim mor wahanol i'r dilladau a luniai iddi hi ei hun, ond yn hytrach yn fwy trawiadol ac anarferol. Defnyddiodd ddau fath o'r un cotwm blodeuog: un â chefndir gwyrdd a'r llall yn las. Cymerai eiliad neu ddau i sylweddoli effaith cynnil a chydnaws y defnydd a'r lliwiau.

'Mi gei di bethau delach o siop Mr Wartski, ond mi wnaiff y tro ar gyfer dy ddiwrnod cyntaf. Paid â bod yn ddiarth,' cyn ychwanegu wedyn, 'Cofia, beth bynnag ddigwyddith, ti'n gwybod lle bydda i.' Ac ar hyn, rhuthrodd Pansy o'r ystafell. Doedd gan Annie ddim syniad beth fyddai'n digwydd, mwy nag a wyddai mai dyna'r tro olaf y gwelai Pansy.

Cyn ffarwelio â'i theulu, cynigiodd Bessie Robaits air o gyngor iddi, 'Paid ti â meiddio dod â dy hen drwbwl yn ôl i'r tŷ 'ma.'

Wrth deimlo popeth yn datod o'i chwmpas, tynhaodd Annie ei holl gïau megis rhwyd dros ei thynerwch ac addunedu gwneud y gorau o'r hyn a deimlai'n agosach at fod yn ffawd cas nag o gyfle.

Dechreuodd yng ngweithdy'r siop, yn torri patrymau a brasbwytho'r dillad yn barod i'w rhoi drwy'r peiriannau gwnïo. Roedd hi cystal â neb arall oedd yno, ond cyflymach a mwy cegog. Ni fyddai ar ei hôl hi wrth ddatgan na fyddai'n mentro i'r tŷ bach mewn ambell i ddilledyn, os oedd y lliw yn farwaidd, neu'r steil yn ddiolwg. Cafod sawl cerydd gan *Madame*, y pennaeth, ond sylwodd honno fod gan Annie lygaid craff, er ei bod yn ddylanwad aflonydd ar ei gweithdy. I gadw'r ddysgl yn wastad awgrymodd yn dawel i Mr Wartski y byddai'n well defnyddio doniau Miss Roberts yn y swydd o fod yn *venduse*, yn hytrach na *chouturière*.

Wrth swancio o gwmpas y siop, tynnodd Annie ar holl ddylanwadau bendithiol y Plas: rhodres Pansy, gwreiddioldeb Eluned ac afradlonrwydd coeth y Marcwis. Lledaenai ac ysgwyd y defnyddiau o flaen ei chwsmeriaid, awgrymai'r gorau, yr union liwiau fyddai'n gweddu a'r trimins fyddai'n dyrchafu popeth.

'Faint ddeudoch chi 'di pris hwn y llathen?'

'Gallwn ddangos rhywbeth rhatach i chi, sydd bron cystal.'

'Na, peidiwch â thrafferthu – mi setla i ar hwnna.'

Daeth i adnabod ei chwsmeriaid ar amrantiad gan fentro cynnig rhywbeth drud i'r gwylaidd, yn y gobaith o brocio'u balchder. Gydag ambell un, y gwrthwyneb fyddai'n gweithio orau, cynigiai ddilledyn parod er mwyn rhoi cyfle iddynt fynegi eu hymffrost. Un o'r rheiny oedd Augusta.

'Na,' meddai'n bendant, 'dwi isio rhywbeth wedi'i deilwrio'n iawn.'

'*Serge*?' heriodd Annie.

'Naci, brethyn.' Y meinaf a'r drutaf, wrth gwrs, gyda'r leinin sidan gorau. 'Beth wyt ti'n feddwl, Frank?' Ystelcian tu ôl i'r cabinet botymau, lle câi lonydd gan Annie, roedd hwnnw. Yn amlwg, nid y fo fyddai'n talu am y siwt roedd Augusta ar fin ei phrynu iddi'i hun. Serch hynny, wrth iddo glosio at y cownter, rhoddodd Annie wên swta i'w gyfeiriad.

'Neis iawn, Mam,' meddai yntau.

'Mae chwaeth yn rhywbeth teuluol, yn amlwg,' meddai Annie a bu hynny'n ddigon i godi gwrid ar wyneb Frank ac yn ddigon i berswadio Augusta i brynu *walking suit* o frethyn drud, er na cherddai yr un cam, os nad oedd rhaid iddi.

Bythefnos yn ddiweddarach, roedd y siwt yn barod a daeth Frank i'w nôl yn ystod ei awr ginio.

'Tybed... Ydach chi'n meddwl y byddai Mam yn lecio pâr o fenig gyda'i siwt newydd?'

'Dwi'n siŵr y byddai wrth ei bodd.'

Yn dilyn hynny, deuai Frank i mewn yn rheolaidd am hancesi, cribau a phyrsiau i'w fam. Un diwrnod, mentrodd ddweud wrth Annie y byddai o a'i fam wrth eu boddau pe byddai'n gallu dod draw atynt am de. Wedi ystyried ei haelioni ac amcangyfrif i ba raddau byddai hithau, maes o law, yn elwa, dywedodd Annie y byddai wrth ei bodd yn derbyn y gwahoddiad.

Flynyddoedd wedyn, cofiai Annie ymweliadau Frank

â'r siop gydag elfen o annifyrrwch, gan mai i Augusta ac nid iddi hi y prynai'r anrhegion. Er bod Now-How yn gallu dyfynnu'n helaeth o Das Kapital ac er iddo ddweud droeon mai pres a gosod gwerth mympwyol ar bobl oedd gwraidd pob pechod, eto, roedd yn ddigon cwrtais a digon siŵr o'i bethau i sicrhau mai iddi hi y prynodd yr het. Efallai, meddyliodd Annie wedyn, nad oedd Now fawr o Farcsydd, ond mi roedd, yn ei thyb hi beth bynnag, yn fwy o *gentleman* na fu Frank erioed.

15

BREUDDWYD CAS, MEDDYLIODD Annie. Goleuadau, cynnwrf, mwg ac oglau deifio. Plygodd rhywun drosti.

'Yn uffern ydw i?' gofynnodd hithau, gan fod waeth iddi gael gwybod ddim.

'Dach chi'n saff rŵan, Miss Roberts.'

'*Champion*.'

Gwenodd Annie, ond gwyddai rywsut, wrth iddi gyfnewid un ymwybyddiaeth am un arall, nad oedd pethau'n *champion*. Fe'i triniwyd yn ofalus ac yn dyner, braich dan ei hysgwyddau a braich dan ei phengliniau, yna, syfliad a gorffwys. Teimlai'n fregus a disylwedd. Dim ots, meddyliodd, tydi o'n ddim ond breuddwyd, a chysgodd.

Deuai cwsg yn reddfol ac yn angenrheidiol iddi, ryw awran fach arall o wadu iddi gladdu Now ddeuddeg awr ynghynt. Yn y fynwent newydd y claddwyd o. Lle nad âi Annie'n agos ati, er nad oedd ymhell o'i chartref. Codai'r felan arni, gan nad oedd yn llecyn oedd yn dda i ddim ond i gladdu pobl. Eu gwthio i gyrion y dref, heb gapel nac eglwys. Nid bod gwahaniaeth gan Annie am gapel nac eglwys, ond byddai'r rheiny'n cynnal priodasau ar Sadyrnau ac yn gwneud i rywun feddwl am ginio wrth ddod allan ar y Sul ac arogleuon cig rhost yn codi o boptai'r dref. Doedd neb yn mynd yn agos i'r fynwent newydd ond y meirwon a'r galarwyr. Gwyddai'n iawn nad oedd un dim gwaeth na gwacach na mynwent fwrdeistrefol ar brynhawn Sul.

Yn ddiweddar, bu Annie'n meddwl fwyfwy am fynwent Llanedwen, am Henry Cyril Paget dan groes drom lwyd, ac Eluned – na wyddai Annie a oedd ganddi garreg fedd, hyd yn oed. Weithiau, a hithau bellach wedi meiddio gweld enw ei mab ar farmor, deuai awydd arni i hel mynwentydd er mwyn gwneud yn siŵr fod popeth yn dwt.

'Ei di â fi i eglwys Llanedwen rywbryd, Now?' Ond er iddo gytuno, roedd wastad pethau gwell i'w gwneud. 'Mi fasa'n neis cael fy nghladdu yno, mae'n lle mor braf ar bwys y Fenai.'

'Ydi o'r ots lle mae rhywun yn cael ei gladdu?' gofynnodd Now. Nac oedd. Gwyddai hithau hynny'n well na neb. Hen strach fyddai ei chario cyn belled, a hithau wedi gadael yr ardal ers cymaint, a neb yn ei nabod yno bellach. Doedd Annie Ty'n Clawdd yn neb a theuluoedd eraill wedi mynd a dod ac wedi parchuso'r aelwyd. Annie nunlle oedd hi erbyn hynny, nid Annie Golden Eagle, hyd yn oed, a hithau wedi gadael fanno ers blynyddoedd.

'Stwffia fi lle bynnag gei di le – dim ots gen i,' meddai Now ar ôl ystyried ymhellach. 'Faswn i ddim isio hongian o gwmpas yn rhy hir, chwaith. Gobeithio'r af i'n o sydyn,' a snapiodd ei fysedd –'fel 'na!'

Fu hi'n ddim cysur i Annie mai yn unol â'i ddymuniad y bu farw Now.

Aeth draw i Gemaes un bore Sadwrn, gyda pheiriant golchi mewn trelar i'w chwaer, Megan. 'Wyddost ti be fasa'n neis pan ddo i nôl?' meddai cyn gadael, 'platiad mawr o datw pum munud, hefo becyn tew ar 'u penna nhw. Dwi 'di laru ar tsips bob yn ail nos Sadwrn.' Tuchan wnaeth Annie wrth feddwl am yr holl waith plicio.

Disgynnodd yn farw ar bwys yr harbwr, wrth ymyl tŷ ei chwaer a thu allan i dŷ arall o'r enw'r Jolly Sailor.

'Addas rhywsut, ynte,' meddai Megan ar ôl yr angladd, 'ac yntau'n dipyn o *jolly sailor* ei hun.' Hen hogan iawn oedd Megan a phwysodd ar Annie i ddod i aros ati hi yng Nghemaes am sbel. 'Bydd hi'n braf i ni'n dwy gael sôn amdano.'

'Rywbryd eto, diolch i ti, Megan.'

Ar ôl te yn y Dinorben Arms ac anfon Megan at y bws aeth Annie i'r siop bapurau am baced o Senior Service – y tro cyntaf a'r olaf iddi brynu sigaréts iddi hi ei hun.

'Ddrwg gen i glywed, Miss Roberts,' meddai'r siopwr, 'heddiw claddwyd Mr Owen, ynte?'

'Mater o reidrwydd,' meddai Annie. 'Roedd o wedi marw.'

Bachodd y paced a chythrodd o'r siop, dan deimlad.

'Yr hen Annie Robaits wedi cymryd pethau'n eitha drwg,' meddai'r siopwr yn ddiweddarach wrth ei wraig.

Syllodd honno arno. 'Now-How? Doeddan nhw ddim yn briod.'

Cofiodd yntau am yr olwg ar Annie. Efallai, meddyliodd, ond ni feiddiodd ddweud hynny, fod ei wraig a phawb arall dan gamargraff ac mai math o insiwrans galar oedd priodas a chyda hynna, gwenodd yn rhadlon ar ei wraig.

Aeth Annie i'r cwpwrdd am y botel Johnnie Walker. Roedd honno bron yn llawn, heb ei thwtsiad ers y Sadwrn cyn yr aeth Now i Gemaes. 'Waeth i rywun fod yn ddirwestwr nag yfed sothach,' dyna oedd ei gyfiawnhad dros droi ei drwyn ar wisgis rhatach. Doedd heno ddim yn noson i ddirwest na dal yn ôl a thywalltodd Annie wydriad mawr iddi'i hun. Joch bach o ddŵr – 'paid â'i foddi o!' – ac aeth i'r rŵm ffrynt gyda'r gwydr a'r botel a soser lwch, gyda Winter Gardens Blackpool wedi'i stampio o gwmpas yr ymyl.

Ar y bwrdd isel o'i blaen roedd wedi gosod albwm Eluned, y llun o Cyril a llun o Now a hithau yn y Rover 2000 newydd. Now mewn crysbais melfaréd a het porc pei, hithau mewn siwt binc, gyda jabô a broets fawr gron. Edrychodd Annie'n ofalus arno a thorrodd ei chalon wrth sylweddoli fod eu safiadau a'u hosgo'n perthyn i oes a fu. Oes pan oedd ceir yn brinnach a moethusach, pan fyddai merched tlws yn taenu eu hunain dros gerbydau, megis y stolau minc y byddent yn eu lluchio'n ddi-hid dros eu hysgwyddau. Eu gosgorddion yn falch ac unionsyth, gyda sigarét ddiofal yn awgrymu eu bod yn fwy o fois y werin na'u golwg. Y ddau'n smalio bod yr union 'run fath â Robert Taylor a Jean Harlow. Cofiodd Annie i honno farw o fewn misoedd wedi iddi hi benderfynu ei hefelychu.

Be oedd ar ein penna ni'n meddwl ein bod ni mor ifanc, meddyliodd. Bron na allai fod wedi ychwanegu ac yn anfeidrol, ond prin bod rhaid iddi gydnabod hynny ar y fath noson.

Yfodd, smociodd a meddyliodd yn galed, nes i amser golli'i ben a'i gynffon a throi'n benbleth di-fudd, fel pelen o wlân clymog. Arferai gredu mai rhith amryliw y Plas a'r Gaiety Theatre a gynrychiolai'r gorffennol. Bu ei bywyd diweddarach yn Amlwch yn ddigon sefydlog i'w hargyhoeddi bod modd i'r presennol fod yn barhaol a phorthai'r twyll drwy fod yn gyntaf i gofleidio'r newydd a bod yn fwy blaengar na neb arall.

Dywedodd wrth Now ychydig fisoedd ynghynt, 'meddylia, os baswn i'n gweithio yn y Golden Eagle rŵan, mi faswn i'n gallu dweud wrth Mrs Tudor-Jones am losgi ei brasiar' er mwyn dangos mor wahanol roedd hi i ferched eraill ei chenhedlaeth. Chwarddodd Now, gan fod hynna'n un o'r pethau a werthfawrogai amdani.

Heb droedle mewn amser ac wedi llygadu gwaelod bedd am yr hyn a dybiai'r tro olaf, cyn cael ei gollwng ynddo'i hun, ni allai Annie weld mai nid gwrthrych ffasiwn oedd brasiar bellach, ond yn hytrach sgaffaldin tila i ddal ei chorff rhag dymchwel a tharo'r pridd. Aeth i'w gwely yn ei phais, gan adael y botel wag a sigarét heb ei diffodd ar ei hôl yn y rŵm ffrynt.

A hithau yn ebargofiant, galwyd y frigâd dân, a'r bore trannoeth dywedodd Jean drws nesaf, 'hen jolpan wirion yn smocio ac yn yfed tan berfeddion nos...' ond stopiodd yn sydyn, wrth gofio'r brofedigaeth. Yn gymdogol aeth draw i achub y dillad oedd yn weddill a gweddus a golchodd yr aroglau mwg ohonynt. Darparodd Madge barsel o eitemau o'r Golden Eagle, gan ymorol am gobenni, slipars a gynnau nos, gan iddi deimlo'n reddfol fod y tân yn cynrychioli ryw godwm dros ddibyn ac na fyddai'r hen Annie byth yr un fath eto. Bron na thybiai bod elfen o ramant yn perthyn i hyn.

'Pryd ga i fynd adra?' gofynnodd Annie o'r foment y sylweddolodd ei bod yn yr ysbyty.

'Ddim eto.'

'Tydi'r tŷ mewn dim math o gyflwr,' mentrodd Madge.

'Beth sydd ar ôl?'

'Mae'r llofft yn weddol.'

'Lawr grisiau?' Ysgydwodd ei phen a gwyddai Annie na

welai byth eto, hyd yn oed mewn dau ddimensiwn, Cyril, na Now, nac albwm cysegr Eluned. Disgynnodd yn ôl ar ei chobennydd a llefain.

* * *

Yng Ngorffennaf 1904 ac yntau ar gychwyn am y cyfandir yn fethdalwr, dywedodd Henry Cyril Paget yn hoenus wrth ohebydd y *Weekly News*, 'I have run through a fortune. Just how, I could not tell you. It cost me £3,000 a year in underwear.' A darllenwyr y papur, siŵr o fod, yn rhyfeddu ac yn wfftio ato. Gobeithio iddo yntau, yn ei dlodi, allu gwenu'n hynaws at eu hymateb rhagweladwy ac ymffrostio yn ei herfeiddiwch, ei allu i addasu ar amrant a chofleidio ei rôl newydd fel alltud pictiwrésg.

Gwyddai Eluned yn well na darllenwyr y *Weekly News* – efallai'n well na'r Marcwis ei hun – yr hyn a gynrychiolai'r methdaliad ac yna'r ocsiwn o'i holl eiddo dianghenraid. Ond ni chawsai'r cyfle i leisio'n union sut y bu i'r gwariant hwn sicrhau ysbaid iddi gael ei hystyried yn fwy nag infalîd. Nac ychwaith y gobaith a roesai i Pansy fod ambell i ŵr bonheddig ar gael, hyd yn oes os nad oedd y rheiny'n fawr o ymgeiswyr i fod yn ŵr i'w briodi. Sicrhaodd ymddeoliad euraidd i Billy Baldini a dihangfa o Dy'n Clawdd i Annie. Os nad unrhyw beth arall, caniataodd wrandawiad, am ysbaid beth bynnag, i denor gorau ei genhedlaeth.

Gwyddai Eluned yn ogystal nad achlysur i'w osgoi oedd yr ocsiwn a mynnodd fod yno tan y diwedd, yn dyst i'r orymdaith o oferedd a gynrychiolai uchafbwynt ei heinioes. Anfonodd gerdyn post at Annie; 'Ocsiwn y Plas wythnos nesa, byddai'n neis dy weld ti yno, os medri di ddod.'

Aeth Annie draw i'r ocsiwn y dydd Iau canlynol, caewyd siop teulu'r Wartskis am hanner dydd ac mi roedd yn Llanedwen cyn canol y prynhawn. Pe bai wedi gofyn, gallasai fod wedi gadael yn gynt. Er bod Henry Cyril Paget mewn dyled ariannol i deulu'r Wartskis, gwyddent hwythau mai iddo ef roedd y diolch am siop emydd y tad a siop ddillad y mab. Yn ddiweddarach ar ddiwrnod cynhebrwng y Marcwis, caewyd y ddwy siop a thynnwyd y llenni o barch. Esboniodd Mr Wartski i'w staff mai heb ei nawdd byddai ei dad ac yntau'n dal i bedlera nwyddau ffansi mewn ffeiriau.

Cynhaliwyd yr ocsiwn ar lawnt y Plas. Bu'n wythnos boeth; roedd yr ocsiwnïer yn flinedig a chwyslyd, wedi bod wrthi'n gwerthu creiriau a lledod ers dyddiau. 'Come now, ladies and gentlemen, this is quality – we're giving it away…' Cyfrwyau a ffrwynau oedd dan y morthwyl pan gyrhaeddodd Annie a gan nad oedd y rhain o ddiddordeb i Eluned, daeth o hyd iddi yn y pafiliwn te, gyda Billy a Morfudd Baldini.

'Annie fach – o am wythnos!' ac fe'i gwasgodd yn dynn.

'Wn i ddim pam ydan ni yma chwaith,' meddai Annie. 'Ybsetio ein gilydd fel yma a gweld popeth yn mynd.'

'Mae'n bwysig gweld er mwyn dygymod.' Defod cyn angladdol fu'r ocsiwn i Eluned. Er i'r Marcwis dyngu y byddai'n dychwelyd i Lanedwen, gwyddai hithau mai mewn arch y deuai'n ôl ac yntau mor wantan ac yn amddifad o bwrpas mewn bywyd. Bu farw ym Monte Carlo o fewn y flwyddyn. 'Cyfle i brynu ambell swfenîr bach,' ychwanegodd wedyn.

'Swfenîr?'

'Bleedin' great big bear,' meddai Billy Baldini. 'Arth; arth o *bloody mistake*!'

'A Mr Pekoe,' meddai Eluned. 'Fedrwn i ddim yn fy myw a gadael iddo fo fynd at neb arall.'

Prynwyd y ci Pekingese fel addurn ar gyfer Aladdin, ond ni fynnai aros yn llonydd ar lwyfan, gwell ganddo aros gydag Eluned yn y gweithdy. Bu'n fwriad ganddi brynu ei gwt hefyd, pagoda bach aur, wedi'i glustogi mewn sidan coch:

'Ond mi aeth hwnnw'n rhy ddrud yn y diwedd a finnau wedi prynu'r arth.'

'Pam brynest ti'r arth?'

'Mae Mr Baldini'n llygaid ei le – mistêc oedd hwnnw.'

'Mae'n anodd cadw'n llonydd,' meddai Morfudd Baldini, 'mae rhywun yn bownd o fod eisiau ymestyn ei freichiau weithiau.' Yna dywedodd yn dawel wrth Annie pan aeth Eluned am baned arall, 'dwi'n poeni am Eluned druan.' A gwyddai Annie mai testun pryder a thosturi fyddai Eluned wedyn a hynny tan ddiwedd ei hoes.

Wrth i'r ocsiwn ddirwyn i ben am ddiwrnod arall, estynnodd Eluned wahoddiad i Annie alw draw i weld Mr Pekoe a'r arth. Daeth Bob Wmffras i'r drws gyda'r ci o dan ei gesail, gan ei felltithio am lafoerio a cholli blew. Wedi rhoi soser o lefrith i'r ci aeth y ddwy i'r siambr i edmygu'r arth. Eisteddent ar erchwyn y gwely, gyda phawen y bwystfil yn hofran uwch ben Annie, fel petai am roi o-bach iddi. 'Ww -yy am bictiwr!' chwarddodd Eluned.

'Debyg nad oes 'na fawr o alw am *wardrobe mistress* yn y Plas bellach?'

'Nag oes. Bu'n rhaid anfon yr holl wisgoedd yn ôl i Angels yn Llundain.'

'Wnes di ddim cadw rhywbeth i chdi dy hun? Y fantell frocêd?'

'Doedd wiw i mi. Tydi Henry Cyril yn berchen ar ddim bellach. Ond rhoddodd yr injan wnïo i mi a bu'n rhaid i ni sleifio honno a mymryn o drimins allan.'

'Tydi injan wnïo a thimmins yn ddim ar ôl yr holl amser a'r gwaith wnest ti, nag ydi?'

Yn urddasol, esboniodd Eluned ei bwriad i weithio ar ei liwt ei hun fel *dressmaker*. 'Mae Mrs Doctor Stanley wedi gofyn am *trousseau* i'w merch a chwpwl o *shirt-waists* iddi hi ei hun. Mae'n well arna i na llawer. Mae gen i bres wrth gefn ac mae Tada'n dal i weithio ychydig... Digon o waith yr af i'n amddifad o ddim.'

* * *

Cofiodd Annie ei geiriau pan ddaeth y ddynes Cyngor Sir i'w gweld yn yr ysbyty.

'Mae'n ddrwg gen i glywed am y ddamwain, Miss Roberts.'

'Gallasai fod wedi bod yn waeth arna i.'

Datgelodd ymateb syn y farn gyffredinol nad oedd disgwyl i Annie bellach fod yn berchen ar y grym na'r adnoddau i orchfygu'r fath sefyllfa.

'Bydd yn rhaid i ni eich cartrefu chi, Miss Roberts.'

'Mae gen i gartref.'

'Mae hwnnw'n cael ei adnewyddu a bydd rhaid asesu'r sefyllfa.'

'Ble 'dach chi'n bwriadu fy rhoi fi, felly?'

'Brwynog,' meddai'r ddynes, gan frysio dros yr enw. 'Cewch ofal gwych yno tra 'dach chi'n mendio a tydi o ddim fath â'r wyrcws ers talwm.'

'Wnes i ddim meddwl am eiliad y basa fo,' meddai Annie'n bybyr, gan fynd â'r gwynt o'i hwyliau.

Gwyddai Annie'n iawn am Brwynog. Fanno roedd Buddug yn y diwedd. Aeth i ymweld â hi ychydig droeon. Ffraeodd y ddwy yn ystod yr ymweliad olaf ac aeth Annie adref mewn pwd. Yn ddiweddar, bu'n edifarhau am fwy a mwy o bethau – mân bethau gwirion a hen bethau o'r oes a fu. Y ffrae gyda Buddug, yr un sigarét cyn ei throi hi am y gwely. A chyda neb ond y hi ar ôl i gofio bellach, dechreuodd geiriau Frank bwyso arni; 'arnat ti mae'r bai.' Melltith henaint, meddyliodd, gan wybod ar yr un pryd mor anodd oedd anwybyddu hwnnw.

16

O DRWCH BLEWYN y collodd Annie'r anrhydedd o gael Mrs Tudor-Jones yn gymdoges iddi. Un bore braf ar ddechrau saithdegau'r ugeinfed ganrif, cafodd Mrs Tudor-Jones ei chludo o Frwynog drwy'r drws cefn, mewn arch. Tua'r un pryd, symudodd Annie i mewn, drwy'r drws ffrynt, mewn cadair olwyn.

Cymorth dros dro oedd y gadair, neu dyna a fynnai Annie, beth bynnag. Roedd ei choesau'n gyndyn o fendio'n dilyn y tân, y cnawd yn frau ac yn dueddol o ddiferu. Hen olwg amrwd arnynt – y croen yn sgleinio'n boenus, fel petai'n rhy dynn a'i phengliniau'n gwrthod plygu'n iawn.

'Dim *hot pants* i mi eleni,' meddai pan newidiwyd y bandej. Ac eto, ysai fwy nag roedd yn barod i'w gydnabod, am iddynt gael eu cyflwyno i'r byd drachefn, heb ddim ond haen o neilon amdanynt. Estynnwyd ei hwyliau mor dynn a thenau â chnawd ei choesau, yn haenen fain o gaead ar yr awydd i roi'r ffidil yn y to.

'Rhowch daw ar eich cwyno,' siarsiodd ei chymdogion. ''Da'n ni'n cael ein trin fel Roialti yn y lle 'ma!' Byddai'r staff yn gwerthfawrogi hynna a synnai Annie ei bod hithau bellach yn gallu benthyg cysur o un o ddywediadau Bessie Robaits.

Er iddi glodfori'r gofal a gawsai, mynnai Annie wneud

cymaint â phosib drosti'i hun. 'Rhowch gadach gwlyb a mymryn o dalc i mi ac mi fydda i'n rêl boi ar ôl cael slempen.'

Doedd hi'n ddim trafferth i neb.

'Mae'r *hairdresser* yn dod draw yfory, Miss Roberts. Ydach chi isio siampŵ a set?'

'Nefar in Iwrop!' Gwyddai y byddai hynny'n ei chondemnio i'r un gwallt â phawb arall. Cyrls cwta, tynion, gwyn, steil a wnâi iddynt edrych, yn addas ddigon, fel defaid. I osgoi hyn, stwffiai ei gwallt dan dyrban porffor a gosodai em mawr ffug ynddo, i sgleinio fel llygad amgen ar ei thalcen. Bod yn gymeriad – yn 'dipyn o gês', chwedl y staff – oedd ei hunig obaith i gyfleu ychydig o wreiddioldeb a steil.

Deuai Richie neu Glenys i'w gweld bob prynhawn Sul, y ddau mor ddiflas â'i gilydd. Diolch i'r drefn am Megan. Daeth honno â llun o'i brawd Now iddi o'i ddyddiau ar y môr. 'Rargian,' meddai Annie, 'doedd o'n ddyn smart…' Ond wedyn, torrodd Megan ei choes ac ni fu fawr o symud arni ar ôl hynny a rhaid oedd bodloni ar gwmni'r teulu. Er bod gan Richie a Glenys wahanol gartrefi a theuluoedd bellach, prin y gallai Annie weld unrhyw wahaniaeth rhyngddynt. Byddai'n pechu drwy anghofio enwau'r plant a'r cymheiriaid. Fawr o syndod, cysurai ei hun, gan na chaniatawyd i'r un o'r rheiny fod yn ddiddorol. Byddent yn gweithio, neu'n mynd i'r ysgol ac yna aent i'w gwlâu. Dyna sut roedd pethau'n swnio i Annie, beth bynnag.

Nid bod ei bywyd hithau'n gynhyrfus ychwaith: ''Dach chi isio rhywbeth at yr wythnos nesa Anti?'

'Bom dan fy nhin!'

Yr wythnos ganlynol, byddai hithau'n dal yn yr un lle, heb ddim i'w ychwanegu at y sgwrs flaenorol.

Dechreuodd hel meddyliau crintachlyd a daeth yn grediniol mai dichell ddiddychymyg i ennill ffafriaeth oedd sgyrsiau diflas Richie a Glenys. Y diffyg manylion yn cadarnhau eu parchusrwydd a'u teilyngdod. Debyg bod Buddug wedi sôn wrthynt am bres Yncl Frank a'u siarsio, er eu lles eu hunain, i gadw llygaid ar Anti. Chwarddodd Annie; aeth pob dimau a gawsai gan Frank ar ddodrefnu'r tŷ: y soffas, clustogau, matiau a llenni, a'r rheiny i gyd yn dra fflamadwy. Doedd yna ddim ar ôl, dim iddi hi, na neb arall ychwaith – a doedd waeth iddi chwerthin am hynny, mwy na thorri'i chalon.

* * *

'Mae'n ben-blwydd arnoch chi wythnos nesa.'

Gyda chymorth, cododd Annie'n araf a chydio yn ei phulpud. Yn groes i ddisgwyliadau pawb, llwyddodd i gael gwared â'r gadair olwyn. Cychwynnodd yn araf am yr ystafell fwyta. 'Mi wnaiff cwc deisen sbesial i chi.'

'Dwi'm isio blydi teisen.'

'Mwy i bawb arall felly.'

Ochneidiodd Annie.

'Mi fyddwch chi'n wyth deg pump!'

'Cachu.'

Ac eto ar fore ei phen-blwydd, teimlai Annie'n ysgafnach. Llusgodd ei hun at y ffenest a'i hagor. Llenwyd yr ystafell ag awel fywiog, y math o awel allai aildrefnu'r llwch, pe bai yna ronyn o hwnnw i'w gael yn Brwynog.

Fel arfer, daeth cerdyn gan Ernie a Bryn, yn swsys drosto a gwenodd Annie, gan nad oedd wahaniaeth yn y byd ganddi a oedd Ernie am gydnabod ei bod yn heneiddio. Aeth yn ôl i'w hystafell ar ôl cinio a dechrau pendwmpian.

'Mae gynnoch chi fisitors.'

Agorodd Annie ei llygaid a fanno roedd Ernie, wedi heneiddio, mewn siwt saffari a sgarff sidan dan ei grys.

'Myn diawl!' ac wedi'i gofleidio ac edmygu ei afftyrshêf, holodd, 'Lle mae Bryn?'

'Mae Bryn yn wael.'

A gafaelodd Annie yn ei law.

'Mi roedd o isio gwneud eich gwallt, yn bresant pen-blwydd...'

'Flwyddyn nesa.'

Rhoddodd Ernie wên fach drist ac yna siriolodd.

'Ond, mi gewch chi wneud eich gwallt. Mae Bryn wedi gofyn i un o hogia'r salon, ei dop stylist,' ac edrychodd i gyfeiriad gŵr ifanc a safai yn y drws. Wyddai Annie ddim yn y byd pam nad oedd wedi sylwi arno ynghynt. Roedd ganddo wallt du at ei ysgwyddau a mwstásh. Gwisgai freichledau hyd at ei benelinoedd, modrwy ar bob bys a mwclis at ei ganol. Syllodd Annie arno ac wrth ostwng ei golwg, gwelodd ei fod yn gwisgo sandalau meindlws a'i fod wedi paentio ewinedd ei draed yn aur. Daliodd ei hanadl cyn ebychu:

'Ydw i'n gweld pethau, dŵad?'

'Dyma Jesús López,' meddai Ernie; 'hogyn dawnus iawn.'

Gwenodd y llanc a daeth yn agosach ati; roedd ei ddannedd hyd yn oed yn dlws. Moesymgrymodd o'i blaen a chusanu ei llaw. 'Hyfryd,' meddai'n dawel a rhyw dinc yn y ffordd y dywedodd y gair ac yr ynganodd yr 'r', ynddo'i hun yn ddiffiniad o hyfrydwch.

Doedd Annie heb glywed 'hyfryd' yn cael ei ddweud mor hyfryd ers dyddiau'r Plas. Doedd fawr o alw am y fath air yn Amlwch. Heblaw am yn y capel, efallai. Gair capel oedd o bellach, neu air pobol glyfar Cymraeg ar y weiarles a'r telefision.

'Jesús López...' meddai hithau a'r ddau air yn ffurfio delwedd o'r Marcwis yn rhedeg fel ffilm drwy ei meddwl. 'Che' y 'J' fel anadl a'r 'sws' yn ollyngdod. Yna'r 'Lo' yn symudiad araf, bwriadol a'r 'pez' yn amlygiad o'r bwriad i ddawnsio ar ffurf troelliad twt.

'Ydi o'n siarad Cymraeg?'

'Ddim llawer,' meddai Ernie.

Plygodd Jesús tuag ati a thynnodd ei thyrban yn ofalus. Disgynnodd ei gwallt fel cwymp o eira at ei hysgwyddau.

'*Magnífico*,' meddai. Rhedodd ei fysedd modrwyog drwy ei gwallt. '*Magnífico*...'

Dyna air handi, meddyliodd Annie, cyn datgan yn bendant ei bod eisiau gwallt pinc. Curodd Ernie ei ddwylo mewn diléit, ond ni phlesiwyd Jesús.

'Flamingo,' meddai dan ei wynt a chlepiodd ei dafod i ddangos ei fod yn anghymeradwyo. 'You are...' palfalodd am y gair – 'a swan!'

'Ia, alarch,' porthai Ernie.

'Ydach chi'n siŵr, hogia?' Yn berffaith, a chyda hynna, penderfynodd Annie ymostwng i'w hurddas cêl.

Golchwyd ei gwallt â siampŵ a ogleuai o sbeis a pherlysiau. Cydiodd Annie yn y botel ac anadlodd. 'You keep...' A gwthiodd Jesús y botel ati. Gwyddai hithau y byddai'n denu cysur di-ben-draw o'i ffroeni'n wag; yn union fel y gwagiodd Eluned botel sent y Marcwis.

Doedd angen fawr o dorri ar ei gwallt godidog. Twtiodd

Jesús y godre'n chwim, y siswrn a'i *jewels* yn fflachio.

'Wyddost ti be, Ernie – dyna i ti biti – mi doddodd pob lipstig oedd gen i yn y tân.'

'Mi bicia' i'r siop cemist. Be dach chi isio? Coch?'

'Fel arfer.'

Erbyn i Ernie ddychwelyd, roedd gwallt Annie'n resi o gudynnau modrwyog tew pob ochr i'w phen. Edrychai fel sbangi hybarch.

'Agora!' meddai Jesús, a chododd ddyrniad o gyrls, eu cordeddu'n fedrus a'u pinio ar dop ei phen. Yna, cydiodd mewn cudyn arall ac un arall, nes ffurfio coron arian uchel. Gyda chynffon ei grib, bachodd ddwy gyrlen o flaen pob clust, gan adael iddynt hongian, megis ffrâm, i'w hwyneb. Camodd yn ôl, wedi'i blesio:

'*Magnífico*!'

Cymerodd hithau'r minlliw a'i slaesio dros ei cheg. Gwenodd arni hi ei hun yn y drych.

'Un presant arall,' meddai Ernie, gan osod parsel lliwgar ar ei glin. Agorodd hithau'r rhubanau, y papur sgleiniog ac yna'r papur sidan.

'Be 'di hwn?'

'Kaftan.' Ysgydwodd Ernie'r dilledyn i'w lawn hyd. Byddai Henry Cyril Paget wedi gwirioni, roedd yn wyrdd ac aur, yn llaes ac yn llyfn. Galwyd un o'r genod i'w wisgo amdani ac aeth Ernie a Jesús i'r lolfa, gan fod Ernie am chwarae'r piano i ddiddanu'r preswylwyr.

Ar ymddangosiad Annie, tarodd Ernie 'Pen-blwydd Hapus' blodeuog a derbyniodd hithau gymeradwyaeth. Bowiodd i'w chymdogion o'i phulpud ac aeth i eistedd wrth ymyl Jesús a batiodd sedd y gadair fel arwydd ei fod wedi'i chadw'n arbennig iddi hi.

'Hogyn Minnie ydi hwnna?' bloeddiodd un o'r trigolion byddaraf, 'tydi o wedi heneiddio?'

Anwybyddodd Ernie'r sylw gyda thafliad pen pigog a dechreuodd chwarae emyn, gan annog pawb i ganu.

'Iesu, Iesu, rwyt ti'n ddigon…' canodd pawb, fel petaent wedi cael llond bol arno'n barod.

Trodd Annie at Jesús a chrychodd hwnnw ei drwyn.

'We want to dance!' gwaeddodd ar ddiwedd yr emyn ac Annie'n curo'i dwylo'n frwd. Cododd Ernie ei ysgwyddau a dechreuodd fwrw iddi. Doedd gan Annie ddim syniad beth oedd y dôn, ond mi roedd mynd arni ac eto roedd iddi ryw dristwch melys hefyd. Mewn gair, roedd hi'n hyfryd.

Cododd Jesús ar ei draed: 'please?' edrychodd i fyw ei llygaid ac ystumiodd at ganol yr ystafell. Heb amau dim, straffaglodd hithau ar ei phulpud, gan ddilyn ei freichiau agored i ganol y llawr. Am eiliad, rhusiodd; ond yna, dechreuodd Jesús ddawnsio o'i chwmpas a gollyngodd hithau'r pulpud a siffrwd ei breichiau fel adenydd glöyn byw.

Wrth iddo wibio o'i chwmpas, teimlai hithau fel petai haid o Victorinis wedi ymuno â nhw ac yn llamu uwch eu pennau. A phob tro y cyflawnai Jesús ei gylch o'i chwmpas, roedd yn rhywun arall; Gwynfor, y Marcwis, Now-How. Rargian, roedd yr hen Now yn ysgafn ar ei draed.

Yna, daeth llais arall i'w chof. 'Well i mi symud y dodrefn, Mam, i ni gael dawnsio o'i hochr hi…'

'Does ddim rhaid, Cyril bach. Sbia ar y diawled gwirion yn eistedd yn un cylch, eu cefna at y wal, fel petai arnyn nhw ofn mymryn o garped.'

Chwarddodd, a chwarddodd hithau hefyd ac ysgytwad

ei breichiau yn cynrychioli'r fath ryddid na phrofasai erioed o'r blaen. A'r eiliad honno, daethant oll yn gyfan i'w meddiant hi drachefn.

Hefyd gan yr awdur:

£7.99

Hefyd o'r Lolfa

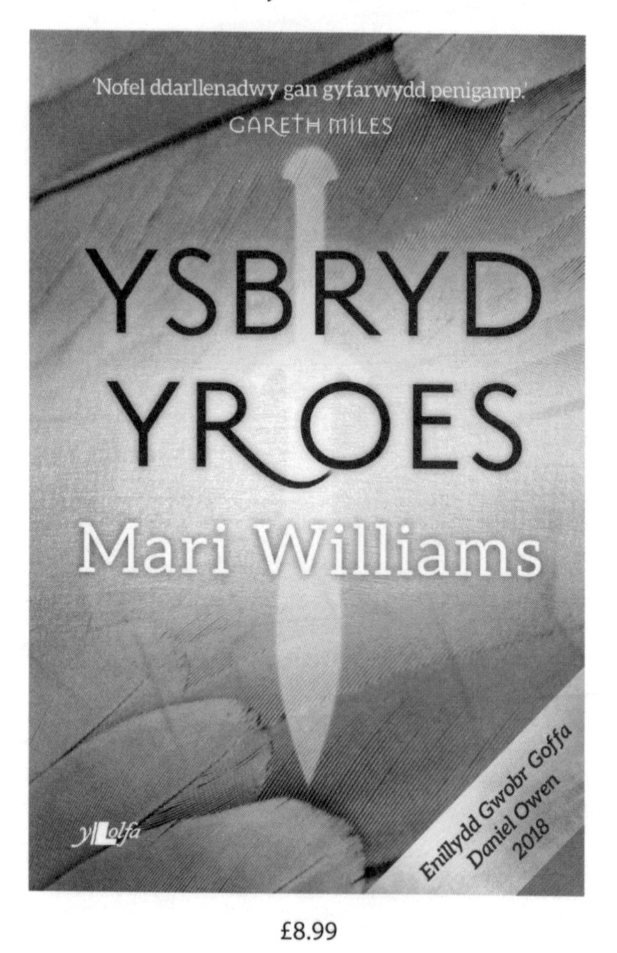

£8.99

'Y dwys, y doniol a'r despret... A'r mwyaf o'r rhai hyn yw'r despret.' RHIAN MORGAN
SIONED WILIAM
Cicio'r Bar
y lolfa

£8.99

CODI LLAIS
Bywyd merched yng Nghymru heddiw
Gol. Menna Machreth
Mabli Jones, Elliw Gwawr, Fflur Arwel, Rhiannon Marks,
Meleri Davies, Siân Harries, Sara Huws, Enfys Evans, Elin Jones,
Lisa Angharad, Mari McNeill, Elena Cresci, Kizzy Crawford
y Lolfa

£7.99

Am restr gyflawn o lyfrau'r Lolfa, mynnwch gopi am ddim o'n catalog neu hwyliwch i mewn i'n gwefan

www.ylolfa.com

lle gallwch archebu llyfrau ar-lein.

TALYBONT CEREDIGION CYMRU SY24 5HE
ebost ylolfa@ylolfa.com
gwefan www.ylolfa.com
ffôn 01970 832 304
ffacs 832 782